愛情左岸

la rive gauche d'amour

la rive gauche d'amour

從前，一個人的時候，我並不感覺寂寞；
直到愛上你以後，
每當無法即時擁抱你的那一刻，
我才深深地了解什麼叫做孤獨。

〈代序〉

留住愛情，在左岸

吳若權

新世紀來臨前的秋冬交替，獨自一個人，離開台北，重返巴黎。

這是準備了好久、好久的旅行。開始計劃行程時，我的世界還來不及出現你。

於是，啟程的時候，你輕淺的微笑，是我沉重的行李。

揮別的夜裡，你沒有說太多。此後，我的白天，是你的黑夜。在機場掛上電話的那一刻，我對未來依然沒有把握。誰知道，沒有預演過的思念卻從此才正要開始。而我，也因此更加確信自己深深愛你。

愛情，是兩個人之間最深奧的相對論。

當你不信任我時，其實是你在懷疑自己。當我想離開你時，其實是你不想繼續。當你渴望重聚時，其實是我害怕分離。

護照和登機證先後被輸入讀碼機，數位的科技，解讀不出你我之間的千言萬語。如果詩人李商隱懂得使用WAP手機，他寫給妻子的情詩《夜雨寄北》應該會成爲此刻最即時的短訊：

君問歸期未有期，
巴山夜雨漲秋池；
何當共剪西窗燭，
卻話巴山夜雨時。

一直沒有辦法用最有效的方式對你坦承深刻的愛戀，是因爲你向來認爲把「我愛你」三個字放在嘴邊是一種膚淺。雖然用盡言語，也無法證明眞愛的存在。擁有，而不佔有，會不會是愛的另一種境界？

我不知道。

誠如我在幾年前最後一次離開巴黎的清晨，天空下著雨。

我對自己說：「回去吧！不要再來了。」因爲愛得太深，而不得不離開。這樣的感情，誰能夠懂？去而復返的我，始終在深愛中面臨離開的抉擇。

世紀末最後一個聖誕節前夕，H去選購禮物，送給已經決定將要分手的愛人。朋友們都取笑他：「都決定要拋棄人家了，還那麼用心選禮物，不怕對方覺得你假惺惺嗎？」

「愛情，最好的結局，並不一定是相聚。」H說。

分離，也是一種幸福的可能。熬過刻骨銘心的痛苦，歷經生離死別的酸楚，對愛的徹悟，是上天賞賜的禮物。

當我必須要暫時離開的時候，甜美的記憶收容了我的眼淚。你的笑容，一直停留在我們第一次相見的地方。

等待，成爲天地間最純粹的無邪。

這些日子以來，我嚐過無數等待的滋味。等到後來，我才知道它的滋味無所謂苦澀與甘美，這一切都是相愛必經的歲月。

從前，一個人的時候，我並不感覺寂寞；直到愛上你以後，每當無法即時擁抱你的那一刻，我才深深地了解什麼叫做孤獨。

而你，竟是不屬於我的。

我們都太成熟，成熟到彼此都知道：愛情，不是單純讓對方屬於自己的過程。我們必須學會在這個過程中，發現自己。

無論愛得再深、再久，相愛的兩個人終究會面對分離，在生命的某個路口。

我們，是否因此而更懂得珍惜？

如果，盡了一切的努力，無法留住你。那麼，請容我留住我們之間曾經賴以爲生的愛情。假使我有晚年，那將是唯一能夠讓風中的燭火不滅的、僅有的可能。

不知不覺，我走到愛情的左岸，隔著時光和記憶，與對面的你，遙遙相望。

是因爲這一段長長的距離，讓我重新看清楚自己、看清楚你、看清楚存在於我們之間的愛情，原來是一種必須容許的模糊。

我醒在你熟睡的世界裡，聽著你的心跳，望著你的面容，疼著你的過往，想著你的未來。

在你的未來裡，我看見自己從熟悉的小徑邊悄悄走過，帶著你輕淺的微笑。正如同我們相識的那個傍晚，攜手走過小小的山丘。

而你輕淺的微笑，一直是我沉重的行李。背負著它，千山萬水。

一見鍾情，是生命最美的停格。但相聚與分離，仍在演出人生的舞台上繼續。

和你廝守的片刻，我寧願遺棄整個世界。

與你分離的時候，我重新擁有整個世界。

然後，在寂寞的日日夜夜，在孤單的分分秒秒，用思念將整個世界送給你，掏空自己。

且讓我把僅有的愛情，留在左岸。如果，有一天，我們不得不分離，我將失去你，至少還可以回到左岸，用一杯咖啡，溫暖彼此的記憶。

我們愛得再深，還是有一些無法透過言語溝通來分享的情緒，只能留給心靈去慢慢體會。眞愛無從描繪，但願你能了解——

只有最寂寞的人，才有機會看到最廣闊的天空。當我離開你愈遠，才發現我和你的心，如此地貼近……

la rive gauche d'amour

且讓我把僅有的愛情，留在左岸。

如果，有一天，
我們不得不分離，我將失去你，
至少還可以回到左岸，
用一杯咖啡，溫暖彼此的記憶。

目錄

愛情，請問你在嗎？

【敲開愛情大門的9個疑問】

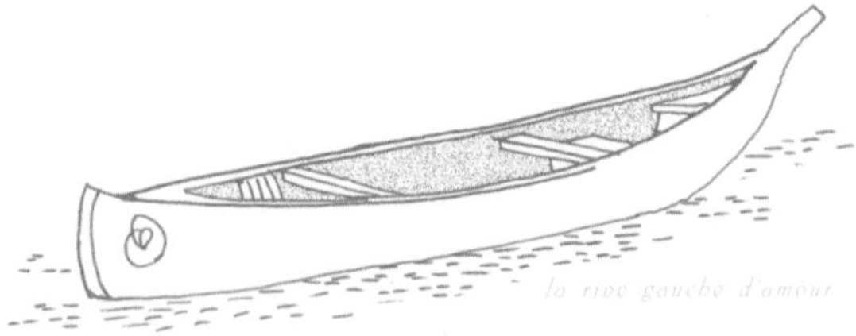

閉上眼睛，就跳得過火圈？

【通過坎坷情路的9個考驗】

輕輕愛他，別碎了自己的心！

【女人又愛又恨的9種男人】

可以嗎？假裝你還愛著我！

【經歷感情生變的9個危險】

la rive gauche d'amour la rive gauche d'amour la rive gauche d'amour la rive gauche d'amour la rive gauche d'amor

放心，我會記得你的好！

【揮手告別愛情的9種姿勢】

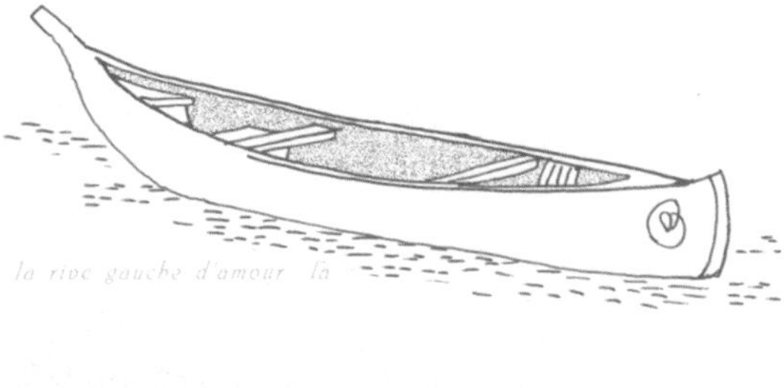

la rive gauche d'amour la ... d'amour la rive gauche d'amour la rive gauche d'amor *rive gauche d'amour la rive gauche d'amour la rive gauche d'amour la rive gauche d'amour la rive gauche d'amour*

la rive gauche d'amour

愛情，
la rive gauche d'amour　la rive gauche d'amour　la rive gauche d'amour　la rive gauche d'amour　la rive gauche d'am

請問你在嗎？

敲開愛情大門的９個疑問：

- 相見，還是不見？
- 哪一天是愛情紀念日？
- 如何避免愛情中毒？
- 寫真集，可以露三點？
- 情人之間有秘密嗎？
- 猜猜誰是第三者？
- 誰能為愛踩煞車？
- 結婚，是平淡愛情的唯一出路？
- 愛到幾年，才厭倦？

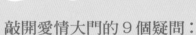

相見，還是不見？

相遇之前彼此傾心的兩個人，見面之後是「大失所望」、還是「喜出望外」？決定權在你自己，不在對方。不合理的期望愈高，失望的機會愈大。包容度愈高，愈有驚喜的可能。

每一段刻骨銘心的愛情故事，都是從初識的那天開始。就算是最熱門的網路戀情，沒見過面之前的虛擬交往，都只是幻想中的浪漫。眞實的感情，需要從見面的那一刻開始累積。

有的人一見鍾情；有的人見過幾次才慢慢有感覺。但是，都不會影響這段感情是否能夠天長地久。

不論結局如何，一段值得被記憶的感情，每當回溯第一次見面的情景，都是甜蜜的。相對地，感情一旦失去了誠懇，被辜負的人總是悔不當初。

相見，不如不見。回想起當我還是個大學生的時候，有一個夜裡擠破頭去參加一位廣播名嘴的演講會，到現在我還記得很清楚，他的開場白，正是：「相見，不如不見！」

在那個年代裡，能稱得上廣播名嘴，絕對是聲音優美、咬字清晰，有常識、也有知識的。他之所以那麼謙虛，甚至是沒有自信，想來的確是因爲現身在演講會堂的他並非大眾想像中「白馬王子」的類型，所以怕聽眾對他產生「偶像幻滅」的失望，以「相見，不如不見！」的開場白，調整彼此尷尬的情緒。

其實，我很想舉手對他說：

「我們是仰慕您的才華，並非看中您的外表。」

但後來想想，這種說法恐怕也會弄巧成拙刺傷他的自尊心，還是不說也罷！

過了十幾年後，換做我自己成了演講台上的主講者，雖然我已經去除了「偶像幻滅」的心理障礙，不耽心聽眾們產生「相見，不如不見！」的遺憾，但類似的問題依然在聽眾提出的問題中出現：

「若權大哥，我和網友交往幾個月了，該不該約對方見面？」

該不該見面，不是用丟銅板決定的。相見，還是不見？答案往往跟見面之後的結果有關。但是，誰能夠未卜先知呢？

彼此傾心但一直沒見過面的兩個人，難免都有很多想像空間，見面之後是「大失所望」、還是「喜出望外」？決定權在你自己，不在對方。

不合理的期望愈高，失望的機會愈大。包容度愈高，愈有驚喜的可能。

統一發票的開獎日期到了，抽屜裡存有很多張發票的你，該不該拿出來對獎呢？不對獎的話，你可以活在「可能中獎兩百萬」的想像裡，繼續擁有虛擬的幸福。

若拿出來對獎，可能中大獎、可能中小獎、也可能沒中獎。能對這各種可能的結果，做好心理準備，失望的程度相對地降低。

你願意活在虛擬的幸福裡，還是願意做好心理準備接受各種可能的現實？只有你自己能決定。

【給女人的叮嚀】
觀察男人，
除了看他的皮鞋，
還要聽他的談吐。

【給男性的忠告】
女孩的身材是一時的；
內涵才是永遠的。

【給同志的祝福】
珍惜每一個友善的眼神，
至少可以做朋友。

哪一天是愛情紀念日？

女人的一生裡，總有無數個紀念日，
提醒著她所有愛過的痕跡。
但因為男人不夠誠懇而造成的感情傷痕，
也不會在她的愛情紀念日中，逃過立可白的清除液。

熱心的朋友要幫她介紹男友：
「就這麼約定吧！妳看，哪一天有空，我把他約出來。」
「這樣多唐突啊！我會不好意思耶！」
女孩子比較容易害羞，是人之常情。

「說的也是，」他想到一個好主意，「下個星期是『白色情人節』，假借這個名義，開個小party，請幾個朋友來聚聚，你們就在那天見面好了。」

她考慮一下，還是搖搖頭，說：

「太隆重了。」

「太隆重了？我沒聽懂。」

他顯然不懂女人的心思。

「是啊！萬一將來有一天，我跟他分手，每年的『白色情人節』我都想起，那是我和他第一次見面的日子，心裡一定很難過的。」她說。

女人的深謀遠慮，顯然是男人所不及。連見面都還沒有，就已經想到相識以後可能分手的事。

男人不懂的，又豈只是這個微妙的心理而已。

女人的一生裡，總有無數個紀念日，提醒著她所有愛過的痕跡。

第一次見面、第一次牽手、第一次接吻、第一次和他去汽車旅館……她都會記得，更何況是一段刻骨銘心戀情之後，分手的日子。

歲月過往，女人心中有一本永不泛黃的日曆，記載著無數個愛情紀念日，有悲傷、也有歡喜。

儘管，有些日子並不太願意想起，但痛過之後，還是有淡淡的甜蜜。

我的一位女性朋友，非常用心地珍藏每一年的行事曆。有一次到她家作客，她拿出來借我看，那些過往的日子裡，每一天都有不同的記號，標註著她和當時的情人的約會記錄。

包括：去哪裡吃飯、花多少錢；看哪部電影、坐哪一排的座位；甚至，進出賓館的時間……

美好的愛情紀念日，果眞是女人一生的回憶。

不過男人也不要因此而洋洋得意，以爲在愛情中所做的一切，都會被女人記憶。

雖然深愛過的，必留下痕跡，但女人也不會笨到爲不值得紀念的感情枉費心機。

那些因爲男人不夠誠懇而造成的感情傷痕，的確會成爲女人成長的印記，但不會在她的愛情紀念日中，逃過立可白的清除液。

【給女人的叮嚀】
對愛情的美好記錄，
妳可以發揮記性好的特質；
不愉快的事呢，
任它隨風而逝吧！

【給男性的忠告】
約會，雖說選日子不如撞日子；
但事先規劃，
比較能表現你對感情的慎重。

【給同志的祝福】
別理會世俗的節日吧！
那往往變成尷尬的提醒。
只要你喜歡，
天天可以是情人節。

如何避免愛情中毒？

透過陌生的途徑、意外的方式所接觸的對象，
都是比較刺激的，但刺激的背後，就是風險與危機。
特別喜歡嚐鮮的人，「中獎」的機率當然比較高。
另外還有一種高危險群，就是那些沒有經驗，毫無免疫力的人。

一隻病毒，癱瘓全球的電腦。

這已經不是什麼空前創舉了，但比較稀奇的是：有一種電腦病毒是藉由一封主旨爲「I love you」的信件傳播。

只要電腦被感染後，它會自動開啓電子信箱的通訊錄，代替主人寄發附

有病毒的「I love you」信件，繼續以一傳十、十傳百的方式肆虐。由於案發當時家用電腦並不如企業電腦那樣普及，所以被這隻電腦病毒危害較深的也是企業機構，造成很大的損失。

由此可見，許多上班族在努力工作之餘，是多麼地渴望愛情。連來路不明的信件、不該對你說愛的人寄了一封主旨爲「I love you」的信件來，都會不顧一切地急著打開。

就像所有的愛情一樣，透過陌生的途徑、意外的方式所接觸的對象，都是比較刺激的，但刺激的背後，就是風險與危機。

特別喜歡嚐鮮的人，「中獎」的機率當然比較高。另外還有一種高危險群，就是那些沒有經驗，毫無免疫力的人。

有位太太告訴我：「平常太乖、乖到連走在路上都不會偷看漂亮女人一眼的男人，其實才是婚姻外遇的高危險群。因爲，他一點抵抗力都沒有。如果，碰到美麗壞女人，隨便兩下子，就變成致命吸引力。」

是的。有些愛情病毒是致命的。它沒有長眼睛，不論是罪有應得、還是可憐無辜，都不會被輕易放過。

只有懂得潔身自愛、擁有高度自制能力的人，才能倖免於難。但是，這些人常被批評爲：在異性面前沒有膽識、對愛情不夠積極……

膽大妄爲和戒愼恐懼之間，你的選擇是什麼？

還是，對不同的事情，你總有兩種不同的選擇標準？

我同意：愛看 Discovery 的人，不見得對播放成人電影的頻道沒有興趣，就算是正人君子，難免有衝動一下的念頭。

但想像歸想像、羨慕歸羨慕，會不會想要親自嘗試性愛的冒險行爲，跟你內在的個性，有相當大的關係。

不論是在草原的車床族、還是光臨可能裝置偷拍鏡頭賓館的男男女女，當事人「勇」於一試的原因是很相近的，都是爲了一時衝動。而那些意外懷孕或感染愛滋病毒的人，絕對都是一時的心存僥倖啊！

網路上的一隻電腦病毒，可能也偵測出你在眞實生活裡的愛情態度。

你，中毒了嗎？

【給女人的叮嚀】
激情時，
堅持要安全保護！
不論妳多愛他，
都不要在緊要關頭時，
將就自己。

【給男性的忠告】
騎機車，
要戴安全帽；
做愛做的事，
請自備保險套。

【給同志的祝福】
安全性行為，
尊重對方，
保護自己。

寫真集，可以露三點？

藝術或色情的界線，應是可以大致分清楚的。

與其禁止演出的表現，不如培養觀眾的修養與氣質。

女孩有自主的權利。如果，連她的男朋友都不表示反對意見，我不知道還有誰能有置喙的餘地。

愛惜自己的身體，是很重要的自我教育。先學會愛自己的身體，才會懂得尊重別人的身體。

曾經有位師範大學的女生拍寫眞集，並出版發行。立法委員對教育部長大聲抨擊，教育部長啞口無言，突顯世代交替間價値觀的衝擊。持反對意見者，認爲此舉有損教師形象，不配將來爲人師表，並且判斷女學生以此爲進軍演藝圈的手段，志不在教學。接著更加以延伸命題，擴大成教育失敗。

如果，我們眞的在這件事情上看到教育失敗，罪魁禍首之一，應該是焦點模糊的不當關懷。

師大女學生拍寫眞集的動機，若是商業的考量，想藉此名利雙收，則是社會的集體犯罪，扭曲大家的價値觀。

她果眞能因此一炮而紅，不只是她的本事，還要感謝各位叔叔伯伯哥哥弟弟們，大家的幫忙。功成名就之後，她未必願意留在杏壇任教。擔心她不配爲人師表？實在多慮了！

如果她只是想要爲青春留下紀念，以健康之美分享成長的喜悅，告訴年輕學生要愛惜身體、鍛鍊健康的體魄，何罪之有？

錯只錯在有些保守而落伍的觀念，渲染出充滿偏見的有色眼鏡，打壓一個年輕人自主的權利。

藝術或色情的界線，應是可以大致分清楚的。其中有些模糊地帶，與其禁止演出的表現，不如培養觀衆的修養與氣質。

啞口無言的教育部長，竟回答不出來，難怪我們教育會失敗。準教師披著美麗的人皮上陣，相較於其他某些道貌岸然的爲人師表者人面獸心橫行校園，後者潛在的危險可能及傷害程度應該嚴重得多。

女孩拍寫眞集，有她自主的權利。如果，連她的男朋友都不表示反對意見，我不知道還有誰能有置喙的餘地。

不過，話又說回來，能欣然同意女友出版全裸寫眞集的男性，實在不多。在演藝圈中，有一位女星出版了全裸寫眞集，她的男友立刻要求分手。與其一味地指陳男人器量狹小，不如說兩性平權有問題，彼此的價值觀也有差異。

一本寫眞集，果然「露三點」！此三點，非彼三點。我指的「露三

點」，是下列三項值得深思的觀點：

1. 價值觀點：這是純粹商業行爲；或藝術欣賞？
2. 兩性觀點：女性寫眞，她的男人可以禁止嗎？
3. 人生觀點：除了寫眞，我們還可以欣賞別的吧？

【給女人的叮嚀】
身體，
可以是一種手段。
但它的價值，
很快就會耗損殆盡。

【給男性的忠告】
欣賞女人的胴體之餘，
別忘了！
也該練練自己的身體。

【給同志的祝福】
再美的身體，
總有一天會凋零。
靈魂，
卻可以常如赤子之心。

情人之間有秘密嗎？

你可以用心維護自己藏著小小秘密的心靈花園，
即便最親密的伴侶，在未經許可之前，都不可以擅自闖入；
但不應該偷藏只會助長私慾而破壞彼此感情的毒蛇，
也不必在門口養一隻會咬傷對方的惡犬。

曾經獲得奧斯卡金像獎許多獎項的熱門電影「美國心·玫瑰情」中，精闢地闡述中產階級家庭，每個人的心靈困境。

其中有一幕戲，是中年的丈夫睡到半夜，靠著性幻想自慰時，因爲過度陶醉其中，而使得睡在枕邊的太太夜半驚醒。

「老天！你，你在自慰。」

太太不可置信地驚呼。

「是，我正在自慰，那又怎樣，我有我的性需求啊？」

丈夫理直氣壯地辯稱。

這會兒換成太太很哀怨了，「那誰來管我的性需求呢？」

看到這裡，全場爆笑。

我卻覺得心酸。

不去追究他們性生活未能和諧的原因，從這幾句對話中，反映出另一個值得深深思考的問題：

親密的愛侶之間，還能不能保有個人的隱私

權？即便是自己最私密的身體，是不是都得變成對方共有的財產之一？

答案顯而易見——親密的愛侶間，仍必須保有個人的隱私權。而身體是自己生命最私密的部分，不能當作對方共有的財產之一。

但是，爲什麼我們仍會爲了對方秘密曝光而覺得傷心？爲了對方身體不能配合而感到失落？

原來，這些痛苦源自於：我們在相愛的過程中，常常忽略了控制自己強烈的佔有慾，忘記尊重對方是一個完整的個體。

有時候，我們太積極想要和對方「融爲一體」，所以誤認對方的一切，都必須跟我分享。

想要維繫一段很長的感情，我們必須學習承認：每個人都有隱私權。再濃密的感情，也不能作爲侵犯對方隱私權的工具。在愛情中兩個人的親密關係裡，你可以用心維護自己藏著小小秘密的心靈花園，即便最親密的伴侶，在未經許可之前，都不可以擅自闖入。

當然，我們也要成熟到學會對等地思考，平衡地處理這樣的關係。

在屬於自己的秘密心靈花園，不應該偷藏只會助長私慾而破壞彼此感情的毒蛇，也不必在門口養一隻會咬傷對方的惡犬。

在平靜的氛圍中，讓彼此各自擁有的秘密心靈花園，開出同樣美麗的玫瑰；雖不擅自闖入，依然聞得到對方的花香。

【給女人的叮嚀】

細膩的觀察力，
讓妳變成天生的偵探，
查無實據前，
別忘了給對方留餘地。

【給男性的忠告】

隱瞞，可以原諒。
欺騙，罪大惡極。
用心體會吧！
她緊迫盯人，
是因為愛你。

【給同志的祝福】

擁有彼此身體，
深入對方靈魂，
仍無法100%佔據他。
這不是遺憾，
而是空間美學。

猜猜誰是第三者？

第三者的威力，其實並沒有想像中那麼強大。

有時候，它甚至只是一個虛幻的藏鏡人，並非真有其人、其事，而只是存在於愛情間隙中的一種想像、一種猜疑。

能被這種不存在的東西打敗，當然是因為本身愛得不夠堅定的關係。

曾經有一位政壇名人爆出婚外情的緋聞，爲此辭職的男方馬上認栽，淡出影劇圈多年的女方卻矢口否認。

新聞工作人員追蹤了幾天，無疾而終。

原本早該塵埃落定的事，又被某電視節目拿出來冷飯熱炒，驚爆內幕消息說：其實眞正的女主角可能另有其人，先前那位被眾多媒體追著跑的女人，就算有露水姻緣，也是過去的事，這次轟動演出，只是代罪羔羊。

不論這件緋聞的事實眞相如何，在每個人眞實的感情生活中，關於第三者的猜測，始終是個未知的謎題。

每一面愛情明鏡的背後，都躲著隨時會帶來威脅的第三者。有時候他會自己破鏡而出，跑到兩個人中間來攪和。輕則在製造紛爭之後悻然離去；重則破壞原本貌似堅固的感情，反客爲主。

第三者的威力，其實並沒有想像中那麼強大。

有時候，它甚至只是一個虛幻的藏鏡人，並非眞有其人、其事，而只是存在於愛情間隙中的一種想像、一種猜疑。能被這種不存在的東西打敗，當然是因爲本身愛得不夠堅定的關係。

一位年輕的女性朋友，嫁給風趣幽默的離婚男人。

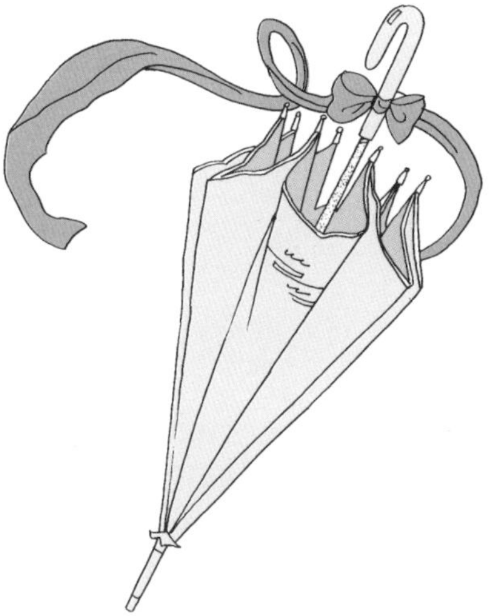

她一直擔心他和前妻之間藕斷絲連，常常把明明沒有的事，想得跟眞的一樣。她常問他：

「她沒有再來找你吧？」

「你是不是還常常想著她？」

連和他在做最親密的事時，她都會問：

「你以前跟她，是怎麼做的？」

在報社工作的他，文采甚佳，以近乎新詩的句法回答她說：

「妳的不安與猜忌，讓她如幽靈般介於妳和我之間。」

一句話讓她將自信心喚醒！

要放棄對第三者的猜疑，並不容易。

猜猜誰是第三者？有時候只是無聊的遊戲，有時候是一場惡夢成眞的預言。要想擺脫「猜猜誰是第三者？」的困境，只有在兩個人的關係上多多努力。

與其用力去猜，不如用心去愛。
就算猜得對，無力挽回悲劇，但真正愛過以後，不論結果是得、還是失，卻可以令自己沒有遺憾。

【給女人的叮嚀】
關於第三者的疑惑，
與其用力去猜，
不如用心去愛。

【給男性的忠告】
別抱怨對方背叛，
雙方愛得不夠堅定，
才會被第三者打敗。

【給同志的祝福】
因為沒有婚約的形式，
更能驗證兩個人愛情的堅定。
第三者，請勿打擾！

誰能為愛踩煞車？

在愛情的路上，不顧後果的率性而為，頂多只能叫做「任性」，而不見得就是忠於自我。懂得在適當的時候踩煞車，比起撞得車毀人亡的人，表現了更大的勇氣、更多的智慧。

徐志摩的愛情故事裡，和林徽音之間沒有結果的苦戀，像詩句中的一個刪節號，點點點點點點之後，餘韻特別多。

我常幻想，如果他們結合了，就會幸福嗎？

在那個時代，背負著世俗觀點與道德壓力的林徽音，會在得到徐志摩第二春的婚姻後，過得更快樂嗎？

我不是當事人，當然沒有辦法回答這個問題。不過，從林徽音的決定中，我看到了她忠於自我的快樂。

是的，我認爲她是忠於自我！

每個人對叛逆所能承擔的重量不同，量力而爲之後，選擇放下，就是一種忠於自我。眞誠地傾聽自己內在的聲音，選擇最適合自己價値觀的決定，這就是忠於自我。

電視劇集「人間四月天」上演的時候，林徽音有一句對白，告訴徐志摩：「如果愛情和道德之間，必須有一個決定，這——就是我的決定。」

林徽音拒絕徐志摩這個爲了愛她而決定離婚的男人，讓我想起另一個愛情故事。

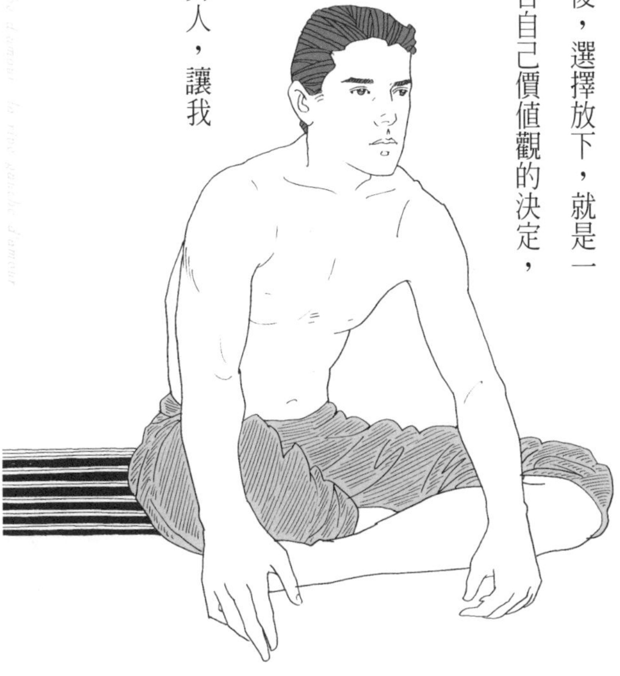

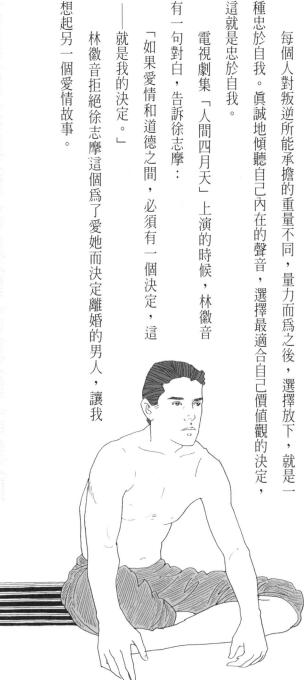

「麥迪遜之橋」中，女主角芬西絲卡幾經猶豫掙扎，仍決定守著她的婚姻，拒絕和男主角若柏．琴凱浪跡天涯。

電影中一幕，芬西絲卡和遠行歸來的丈夫駕車外出購物，從後照鏡中看見開車緊跟在後的若柏．琴凱，她的手握著車子門把，握到觀眾的心都碎了，還是沒有跳車和若柏．琴凱私奔而去。

「人間四月天」劇情中的林徽音，和電影「麥迪遜之橋」中的芬西絲卡，兩個身處不同時空背景的女性，都做了忠於自我的決定，她們不想粉身碎骨，所以及時踩了煞車。

妥協，有時候也是一種快樂。

如果，你認爲自己適合妥協的話，沒有人說一定要堅持到頭破血流才叫做「忠於自我」。

或者，我們可以換個角度說，懂得適時向現實妥協，也可以算是一種「堅持」！它同樣是「忠於自我」的表現。

在愛情的路上，不顧後果的率性而爲，頂多只能叫做「任性」，而不見得就是忠於自我。

懂得在適當的時候踩煞車，比起撞得車毀人亡的人，表現了更大的勇氣、更多的智慧。

【給女人的叮嚀】
愛，愈是到了熱情
不可收拾的時候，
更要提醒自己：
「為愛踩煞車！」

【給男性的忠告】
失去理智的愛情，
就像超速的汽車，
一旦沒有握緊方向盤，
就會釀成災禍。

【給同志的祝福】
如果，
愛到不該愛的人，
無論對方有多麼好，
還是得忍痛叫停！

結婚，是平淡愛情的唯一出路？

「再這樣下去，也不是辦法？」
廣告影片之所以能打動人心，是它說出了很多人心裡的話。
現實生活中，很多人把「結婚」
當作挽回一段日漸失溫感情的唯一救贖……

「再這樣下去，也不是辦法？」廣告影片中一句台詞，成為十分經典的「求婚」告示。

據說，廣告影片之所以能打動人心，是它說出了很多人心裡的話。如果，這個邏輯推論沒有錯，那麼可見在現實生活中，很多人是把「結婚」當作挽回一段日漸失溫感情的唯一救贖。

當一段戀愛，談到食之無味、棄之可惜的地步，年紀到了，又沒有第三者或備胎出現，於是——「我們結婚吧！」

熱戀期過了，日子平平淡淡。的確有不少朋友歷經過這樣的階段。

能約會的地方都去過了；能談的話題也都聊得差不多了；不堅持「婚前不可以發生性行爲」的人，連可以變化的做愛姿勢、所有花樣都玩過了……再這樣下去，除了結婚、生個孩子，實在沒有別的出路。

兩個找不到出路的情人，決定結婚。難怪，很多人抱怨「婚姻」是「愛情」的墳墓。

以女性的立場來說，能碰到有這種覺悟的男人，還算好！畢竟，他玩久了，懂得收心；她也有了歸宿。「婚姻」到底是不是「愛情」的墳墓？有機會結婚的話，至少可以慢慢再說，等時間來證明這一切。

女性最怕是碰到連這種覺悟都沒有的男人。

年屆三十的她，主動問：

「我們該有個計劃吧？」

「什麼？」不知道他是真不懂、還是裝糊塗。

「再這樣下去，也不是辦法？」她主動提醒他。這句話換由女生來說，聽起來十分悲涼。

「我的工作還不穩定，事業沒基礎，怎麼結婚啊？」他說。

謝天謝地，這回他聽懂了。可惜，答案不是她想要的。

婚姻，雖然可以使成熟的愛情更加穩固，但絕不是突破愛情困境時，唯一的出路。

漸趨平淡的愛情，能不能走向紅毯的那一端，雙方應該先回頭檢視：

彼此的生命願景及人生規劃，是不是有很大的

交集。

自己要的是什麼樣的人生？

評估雙方對於經濟基礎、生活習性、價值觀……等條件的差異，究竟能妥協到什麼程度？

然後，再決定要不要結婚吧！

【給女人的叮嚀】
不要為了結婚而結婚。
除了自己，
沒有一張「飯票」
是可以長期有效的。

【給男性的忠告】
女人青春有限。
感情穩定後，
可以主動做個結婚規劃，
才不會耽誤對方。

【給同志的祝福】
結婚，
只是個儀式而已。
重要的是：
兩個人都決定安定下來的許諾。

愛到幾年，才厭倦？

浪漫與現實，並不一定是相悖的。
就如同感性與理性在某種程度上也可以並存的道理一樣。
戀情能夠持久保持恆溫，婚姻能夠長期經營不墜，
要靠雙方不斷地溝通、調整、學習。

婚前的熱戀，會由濃轉薄；婚後的愛情，當然也有可能會走下坡。愛情，在剛開始的時候，都會在相互的探索中，隨時有新奇的發現。但是，如果其中一方是個淺薄的人，光靠外表的偽裝吸引對方，相處不了多久就醜態畢露，也難怪感情會漸漸疲乏。

欠缺溝通，也是使愛情急速降溫的主要原因。一旦雙方在相處上出現歧見，彼此缺乏有效的溝通模式，經常冷戰，時間一久，再親密的枕邊人，也會逐漸形同陌路。

到底要多久才會出現這重危機呢？傳統的說法是「七年之癢」，但以最近幾年的婚姻統計數字來看，新世代的婚姻伴侶愈來愈熬不過那麼久。

在聯合國的統計年鑑中，觀察六十二個國家、地區或民族，發現結婚後的第四年，是離婚的高峰期。

另一份調查資料顯示：過去幾年，台灣地區的離婚高峰期，則發生在結婚後的第二年、第四年及第九年。最近更新的一份報告，又出現離婚率提高的趨勢。據說，能熬過第三年的夫妻，已經很不容易。

結婚後又快速決定離婚的現象，反映出現代夫妻「速戰速決」的婚姻態度。發現彼此不合就分手，頗有寧願「認賠

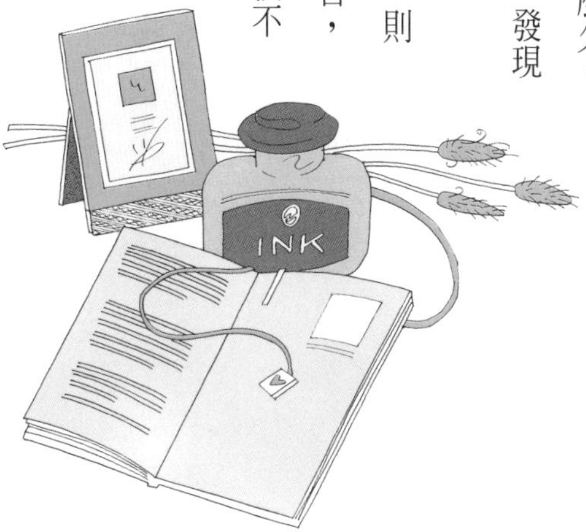

了結」也不要耽誤青春歲月的魄力。

爲什麼婚姻生活，常變成戀愛的殺手，讓原本浪漫的感情，變成可憎的現實？

日本犯罪心理學專家石田幸平認爲：

「當戀人之間，建立了一個令雙方陶醉在浪漫裡的內閉世界之後，兩個人便開始無拘無束地相互評價對方。」

他還說：「柴米油鹽醬醋茶，會使兩個人的世界，由夢一般的浪漫境界，滑落到現實生活中，露出醜陋的原形。兩人不會再爲另一半而修飾自己，生活流於平板或一成不變。」

這些都是使「七年之癢」逐年提前發生的原因。促使夫妻離婚的原因，不外乎「個性不合」、「異性介入」、「雙方家族親戚關係不好」、「性的不滿」、「配偶有暴力傾向」……等。

固然在決定結婚之前，先確認清楚婚姻生活的現實面，對浪漫褪色的容忍度會相對提高；但我認為：浪漫與現實，並不一定是相悖的。就如同感性與理性在某種程度上也可以並存的道理一樣，戀情能夠持久保持恆溫，婚姻能夠長期經營不墜，要靠雙方不斷地溝通、調整、學習。

我相信，經過這些努力，雙方都可以得到很大的成長。就算最後的結果，仍是在走上紅毯的幾年以後分手，也是值得！至少，沒有讓婚姻敗在不知名的搔癢症上，而是雙方很清楚地知道：這是對彼此都好的選擇。

【給女人的叮嚀】
每天都是一個新的開始，
不要因為戀情穩定，
就疏於打理自己喔！

【給男性的忠告】
學習新知，
有助於展現新的魅力，
讓她隨時都有一探究竟
的衝動。

【給同志的祝福】
雖然，
「變」是不變的真理；
但是，
讓感情恆常如新，
值得盡力而為。

a gauche d'amour la rive gauche d'amour la rive gauche d'amour la rive gauche d'amour la rive gauche d'amour

la rive gauche d'amour

閉上眼睛，
la rive gauche d'amour la rive gauche d'amour la rive gauche d'amour la rive gauche d'amour la rive gauche d'a
就跳得過火圈？

通過坎坷情路的9個考驗：

- 羨慕別人
- 偽裝自己
- 割捨事業
- 徹底坦白
- 年齡差距
- 步調不同
- 患難關頭
- 感情智商
- 風流誘惑

幸福，不是樣板！

幸福並沒有一定的模樣。
燭光前的甜言蜜語，絕對是幸福的一種表情；
但寒風中的淚眼婆娑，也可能會是幸福的相貌。
幸福，最可貴的部分，是在努力的過程，不是最後的標的。

她因爲晚婚，年屆不惑才懷了第一胎。
臨盆前，旅居美國多年的父母，趕回台灣。爲了準備幫她坐月子，兩位頭髮花白的老人家，從台北舊居收拾細軟，到台南就近照顧。
對世居台北的他們來說，台南和紐約，一樣都是出門在外，並不方便。

他們一路風塵僕僕，絲毫不畏旅途困頓，掩不住馬上就要抱孫子的喜悅。

幸福，對這個家庭來說，是初生的喜悅。

退休後不到兩個月，他身體不適入院檢查，竟然發現罹患癌症，從此開始必須長期接受化療的過程，苦不堪言。

但就在這個時候，已婚的兒子頓然醒悟，決定放棄高薪的職務，改以SOHO的形式在家工作；兒媳婦也相當配合，下班後就來醫院幫忙照料。遠嫁到台中的女兒，每個週末都開車到台北陪病。兒女成家之後，各奔東西的一家人，因爲父親的重病，又重新團聚在一起。

幸福，對這一家人來說，是老病的安慰。

嫁到美國多年，她一直想接父母過去同住，但兩個老人家都因爲住不習慣而作罷。幾個月前，父親去世，相依爲命的母親頓失所依，一個人在台灣舉目無親，孤苦伶仃。

經過她再三遊說，甚至辭了工作、暫時拋夫棄子回台灣陪伴母親，最後，母親終於答應試著跟她去美國長住一段時間。

幸福，對這個家庭來說，是經過死亡之痛以後的陪伴。

常有人問我，幸福是什麼？可惜的是，大多數人都只會羨慕別人的幸福，等到自己失去幸福以後，才知道幸福是什麼。

原來，幸福並沒有一定的模樣。燭光前的甜言蜜語，絕對是幸福的一種表情；但寒風中的淚眼婆娑，也可能會是幸福的相貌。

幸福，沒有樣板。不必看到別的夫妻如膠似漆的樣子，就懷疑從來不懂枕邊細語的另一半是不是眞的愛你；也不要看到別人金玉滿堂的家庭，就擔心自己家徒四壁的公寓擋不住歲月的風雨。

除了愛在當下、懂得珍惜之外，幸福的秘訣之一，不外乎就是一種堅定的自信，不管情況究竟壞到什麼地步，都還相信幸福不會

遠離。」

即使你曾經因爲一時的不小心而與幸福擦肩而過，也不要太早放棄。美夢破碎之後的人生，將在重建的過程中，重新體驗幸福的眞諦。只要你相信，幸福的最後結果，雖然成之天，但幸福的開始，絕對操之在己。更何況，幸福，最可貴的部分，是在努力的過程，不是最後的標的。

【給女人的叮嚀】
不要羨慕別人，
更不要懷疑自己，
珍惜擁有，
就是幸福。

【給男性的忠告】
不要等到功成名就，
才回來尋找幸福。
現在，
就開始經營幸福吧！

【給同志的祝福】
同志情路多艱苦。
你的幸福，
可以成為一種好的示範，
給別人鼓舞。

愛情的三個化妝師

關心，是愛情裡一位不可或缺的化妝師。

擔心，是愛情裡一個多餘的化妝師。

鐵了心，是愛情裡一個非到最後關頭、絕不輕易出現的化妝師。

一個下午聯絡不上他，「以為你出了什麼事，我急得差點被送進急診室。」她緊張兮兮地說。

「沒有啦！只不過兩個很久沒見面的朋友，突然跑來找我，跟他們出去喝杯咖啡，忘了帶手機。」他平靜地回應。

他沒事，人活得好好的；她有事，因爲過多的牽掛難以心安。

沒事的他，生活仍然很正常地循著常軌進行。有事的她，如果不能拿捏好關心對方的尺度，會將自己逼到心臟衰竭在先，把對方弄到失心瘋狂在後。

關心，是愛情裡一位不可或缺的化妝師。採用適度的保養品，上淡淡的彩粧，愛情會很有精神、也會很美麗。但若採用不當的保養品，或上了太濃的粧，不但看起來庸俗不堪，還會傷及皮膚。

「明明是你事先打給對方，主動邀約；爲什麼騙我說是他們找你？」事後，她發現一些破綻，個性直爽的她，決定打破砂鍋問到底。

「沒有啦！」這已經變成他的口頭禪，「我很久沒跟這些朋友聯絡，怕妳不高興，擔心這個、擔心那個……」

他不讓她擔心，她反而更擔心。爲了不讓她擔心，他撒了自認爲無傷大雅的小謊話。爲此而更加擔心的她，發現小謊話之後，激起內在的潛能，要去揭露更多的瘡疤。

擔心，是愛情裡一個多餘的化妝師。原本功能是用來掩飾黑斑及皺紋，但往往效果不佳，欲蓋彌彰，擋不住太陽的照射，原形畢露。

「今後，不論你再說什麼，我都不會相信，」她氣急敗壞地說：「這次我鐵了心，如果你再騙我一次，我就和你分手！」

「請妳不要拿分手來威脅我。」看到她心意已決的樣子，灰頭土臉的他也難以克制地說了重話。

戀人之間的爭執與溝通，雖是一線之隔，但至少原本的目的都是爲了增進彼此的信賴與了解。如果爭執與溝通的過程中，失去應該有的妥協彈性，雙方都直接把對方逼到底限，用「鐵了心」的口氣談判，很難談出雙贏的結果。

鐵了心，是愛情裡一個非到最後關頭絕不輕易出現的化妝師。雖然它可以幫你壯大聲勢，掩飾脆弱不安的內心，但它同樣可以摧毀彼此曾有的溫柔與依賴，無情地讓相愛的兩個人血淋淋地面對殘局。

最後你將發現：愛情，自然就是美。僱用這三位化妝師時，要謹慎！

【給女人的叮嚀】
放輕鬆點！
擔心太多，
會給對方壓力，
也跟自己過不去。

【給男性的忠告】
不要怕不好意思，
學習用行動或言語
表達你的關心，
她會很感動喔！

【給同志的祝福】
爭執與溝通，
都是為了愛得更久，
別輕易在氣頭上說分手。

為愛遊走江湖

男人的江湖，與女人的江湖，意義是截然不同的。
男人的江湖，是事業；女人的江湖，是人生。
男人把追求金權當作永遠的事業；
女人認為回歸家庭才是人生。

歡度四十歲生日之後的她，正等待丈夫實現「許我一個未來」的承諾。

幾年前，他就答應她：「等這個Project結束，我就可以放心交棒，退出江湖，陪妳雲遊四海。」只是沒想到，等到好幾個Project都已經結束，他還是無法眞正退出江湖。

孩子大到可以自己照顧自己的時候，她也在兼顧家庭與工作的過程中，成就自我。但是，她卻比他早一點覺醒——

「我要的是完整的人生！」

離開公司年度慶功宴的會場，她挽著他的手說：

「你再不退出江湖，我可要一個人去遊走江湖了！」溫柔的話語中，有委屈的抗議、也有革命的決心。

他沉默了很久，連「哄」她的勇氣都沒有。老夫老妻之間，空頭支票開多了，已經承受不了這些光說不練的甜言蜜語。

幾個月之後，她離他而去。沒有正式離婚，但她已經有獨立追求夢想的決心。她自己上網訂了便宜的機票，用**E-mail**聯絡了幾位大學畢業就到美國定居的好友，展開爲期半年的長途旅行。對她而言，含飴弄孫不僅還嫌太早，

也不是她眞正想要的人生。

看遍企業界和政治圈，多的是這樣的夫妻。男人拼了老命往前跑，女人只求一個回家的老伴。

政壇明星級人物參選，太太的心理都很複雜，既希望丈夫光榮當選，萬一落選又暗自慶幸：至少撿回來一個男人。最怕的是，事業無成、人也不回來，苦苦戀棧江湖的廝殺與纏鬥，棄私人生活於不顧。將來就算撿得回來，也是個耗盡元氣、又病又老的男人。

我常想起她上飛機前轉述給我聽的那一句話：「你再不退出江湖，我可要一個人去遊走江湖了！」

男人的江湖，與女人的江湖，原來是截然不同的意義。

男人的江湖，是事業；女人的江湖，是人生。

男人把追求金權當作永遠的事業；女人認爲回歸家庭才是人生。男人沒有事業，就失去人生的意義；女人卻把事業當作實現人生的一部分而已。

進入新世紀之後，也許某些戀侶的情況是倒過來的，男性想要穩定的人生，女人卻一心想發展事業。總之，問題不是出在性別上，而是相愛的雙方在相處多年以後，才發現兩個人的價值觀截然不同。

開始相愛的時候，不妨彼此多多詢問對方：江湖與幸福，你要的是哪一個？

【給女人的叮嚀】
主動追尋自己的夢想時，
也積極邀請身邊的男人，
一起配合吧！

【給男性的忠告】
愛她，
除了送鑽石之外，
還要多陪她，
多聽她講話。

【給同志的祝福】
相濡以沫，
是幸福。
兩相忘於江湖，
也是幸福。

誠實，不怕他傷心！

以「我怕說實話會傷了你的心」，
作為自己不得不有所隱瞞的藉口，
表面上，好像是很體貼的行為；
實際上，是自己不敢面對現實。

瞞著她和前任女友見面，不料最後仍然事跡敗露。他急著解釋：
「我跟她出去，只不過喝杯咖啡而已，眞的沒有怎樣。」
「如果沒有做什麼壞事，你爲什麼要瞞騙我？」反駁他的論調時，她仍是理性而平靜的。

「我，我是怕說實話會傷了妳的心。」

他理所當然的解釋，反而才眞正是令她心碎的重擊。

「難道你不知道被欺騙的感覺，比傷心還嚴重？我寧可知道實情，也不願被欺騙。」

她試著溝通自己內心的感受，但對於他下次會不會再犯同樣的錯，沒有任何一點把握。

這是情侶之間，最典型的爭執之一。不肯坦白的一方，總拿「我怕說實話會傷了你的心」，作爲自己不得不有所隱瞞的藉口。表面上，好像是很體貼的行爲；實際上，是自己不敢面對現實。

其實，他眞正怕的並不是對方知道實情之後會傷心，而是害怕對方掌握事實之後的反應，甚至導致自己會因此失去自尊與愛情。

面對愛情裡自己搞出的棘手場面，男人常

常心存僥倖，抱著「多一事，不如少一事」的心態，企圖蒙混過關。

男人心裡常常這麼想：與其擔負小吵一架、冷戰數日、或瀕臨分手的風險，不如學鴕鳥把自己的頭埋進沙堆裡，以便於想像對方也跟自己一樣蒙蔽視線，看不到眞相。

說穿了，對親密的伴侶隱瞞事情眞相，並不單純是一種體貼的行爲，而是夾雜了更多自私與脆弱的人性於其中，很複雜的表現。

當「東窗事發」的時候，不論你決定要不要將事情的眞相說出來，都需要有所承擔。

不要拿「我怕說實話會傷了你的心」當作掩飾自己脆弱內心的擋箭牌。你可以說：「等我想清楚了再告訴你。」或是：「我現在還沒有能力對這件事提出完整的交代！」以比較成熟的態度，表現出對於對方的同情心與自己的責任感。

別忘了！在任何時候，誠實都會是最好的策略。怕對方傷心而扯出離譜的謊話，永遠是最差勁的做法。

當然，誠實認錯之後，還必須要求自己，不再犯相同的錯，才能夠重新獲得對方的信任。

【給女人的叮嚀】
坦白，
是一個原則，
不是一個罰則。
得饒人處且饒人，
別追根究底。

【給男性的忠告】
瞞過一時，
騙不過一世。
做錯事，
不妨適時招認吧！

【給同志的祝福】
每天每月的誠實，
才能累積出
一生一世的信任。

姊弟戀，復古大流行！

「年齡不是問題」這句話，
不見得能夠套用在每個人身上。
幸福，要靠自己，不是做給別人看的，也不必向誰交代！
「某大姊」和「夫小弟」，雙方都要共同努力啊！

閩南語說：「娶到某大姊，坐著金交椅！」對男小女大的婚姻，有人抱持祝福；有人總是等著看好戲。

古時候，因爲有童養媳、沖喜等民間習俗，小丈夫娶大老婆的情況並不是太稀有，甚至是合情合理的明媒正娶，所以見怪不怪。

反倒是身處新世紀的我們，常對這種男小女大的感情模式，議論紛紛、大驚小怪。

道理何在？

關鍵其實在於傳統的妻大夫小配，男方只是年紀比較小而已，但從世俗的眼光來看，男方的家世、財力可一點也不差。加上，中間有個說媒的人，以各種理由將雙方的差異合理化，不只說服雙方及家長，也說服身邊的親友。

而現代男小女大的戀情，通常男方不只是年紀小而已，個人成就、社會地位、財力背景……統統比女伴差。

更何況，他們的結合多半出於當事者自動自發，有時男追女、有時女追男，但不論是誰採取主動，都很難獲得好評。

若是少男主動，客氣的評論是「戀母情結」，惡毒點的說法則是「想吃軟飯」。假使是女方主動出擊，那更是好事不出門、壞事傳千里，身邊親友笑臉的背後，藏了「狼虎之年」、「老牛吃嫩草」的快刀利箭，冷不防從眼光揮射而出、從口中吐槽而盡，毫不留情。

「他還不就是貪圖她的錢！」

「我看啊！她一半的家產，都要賠在這少年仔的手裡。」

「一看就知道她是那種必須要有年輕小伙子才活得下去的女人！」……

類似的閒言閒語，總是像蒼蠅一樣叮著「某大姊」的新戀情團團轉著飛舞。

從前，我也許沒有太多理由反駁這些世俗的批評，直到我熟識的一位男性朋友愛上一個大他十歲而且離過婚的女人之後，從他們的真人實事中，我才見識了幸福的艱難與可貴。

一開始時，她原本執意不肯接受他的感情，如鐵石僵硬的心，在他多年的堅持與努力下，終於漸漸軟

化。

走過人生風雨，看盡親友冷眼，他們如今已經生活在同一屋簷下。他主動要求不生小孩，專心等她和前夫生的孩子願意叫他「爸爸！」。

感人的故事，不見得能夠套用在每個人身上。正如同「年齡不是問題」這句話，也不一定能幫助每一對老少配的戀人克服問題一樣。幸福，要靠自己，不是做給別人看的，也不必向誰交代！「某大姊」和「夫小弟」都要共同努力啊！

【給女人的叮嚀】
愛他，
不必管別人閒言閒語。
如果，
自己都說服不了自己，
問題在妳自己。

【給男性的忠告】
成熟，
與年紀無關。
重要的是，
你必須表現負責的
態度及能力。

【給同志的祝福】
超越了性別的愛，
更要跨越
「色衰愛弛」的障礙。
心靈，是唯一的救贖。

愛，不進則退

愛情，也如逆水行舟，不進則退。

相愛的兩個人，需要空間，也需要養分。

各自交朋友，也擁有共同的朋友，培養更多共同的興趣，

既可擴展空間，也會獲得養分。

她和他是在朋友家中聚會時相識的，當時大家圍著電視，一邊聊天、一邊看綜藝節目，全場平均每三分鐘爆笑一次，氣氛好極了。很會搞笑的他，就這樣輕易擄獲她的芳心。

正式在一起後，她要求擁有百分之百的他。她撒嬌地說：

「不要成天向外跑嘛！」

「有空多陪陪我啊！」

「跟那些狐群狗黨在一起最無聊了！」……

他愛她，不論她說得有理無理，他都依她。於是，他們最大的娛樂、也幾乎是唯一共同的興趣，就是看電視綜藝節目。

每次放假，他們就窩在客廳看綜藝節目，從無線電視台，轉到有線電視台；再從有線電視台，轉到無線電視台。

有時候，選台器在他手上；有時候，選台器在她手上。

但是，不論選台器在誰的手上，爆笑的次數愈來愈少了，她和他坐在沙發上的距離，也愈來愈遠了。

「低級！」、「無聊！」當他吐出這些詞彙，評論電視綜藝節目的時候，她的心頭總是一驚——

「難道他在指桑罵槐嗎？」

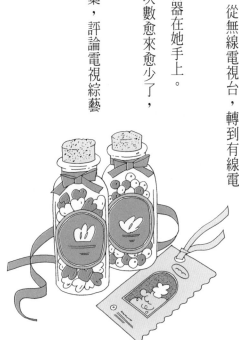

她忍氣吞聲，繼續看了幾個星期的綜藝節目，也注意到客廳從爆笑聲、批評聲、到最後只剩下嘆氣聲……

她問：「你從前不是覺得綜藝節目很好看嗎？」

他說：「那是從前，現在這些節目抄來抄去，相互比爛，無聊透了！」

過了幾個月，他以「妳都沒有長進」的理由，主動離開。

爲分手傷透心的她，始終不明白：究竟，是因爲彼此沒有長進，才讓他們的愛情無聊得像綜藝節目；還是，綜藝節目太無聊，才使得他們的愛情沒有長進？

也許，要等到傷痕慢慢痊癒之後，她才能體會——

愛情，需要空間，也需要養分。

各自交朋友，同時也擁有共同的朋友，培養更多共同的興趣，既可擴展空間，也會獲得養分。愛情的品質，跟綜藝節目的好壞，沒有多大關係。

愛情，也如逆水行舟，不進則退。很多「一見鍾情」的愛侶，到最後都會因爲步調不同而走到語言乏味的地步，非常疲累。

原因就出在其中的一方，自滿於現狀，沒有追求進步的動力，才讓熱情漸漸消退。

【給女人的叮嚀】
限制男方的行動，
等於扼殺愛情的生命。

【給男性的忠告】
愛是動態的成長，
不是靜態的相守。

【給同志的祝福】
追求新知與對方分享，
讓你更有魅力！

都會男女「震」候群

愛得七葷八素的三角戀情、婚外情，
都是尋常日子裡失去理智的一時之選，
唯有在生死交關的時候，才會清醒——
原來，一對一的相愛相守，也有它光輝的價值。

一場地震，震出都會男女對脆弱感情不安的症候群。

天搖地動之後，我接二連三接到朋友們互報平安的電話，其中居然也有來哀悽訴苦的。

一位身爲婚外情介入者的女性朋友，驚嚇之後，竟能充滿醋意地說：

「他一定連忙抱著老婆逃難，完全不理會我的生與死，這種男人，唉！不要也罷！」

其實，她該面對的不是男人的問題，而是婚外情的本質。

婚外情在地震中也有另一種相對的反應。一個有婦之夫急著打電話安慰遠地獨處的「地下夫人」，手機不通，他冒著餘震可能奪命的危險，跑到街上打公共電話。遺世獨立的兩人，驚魂甫定後，在黑夜街頭的電話兩端感動地哭了起來。

男人趕回家，太太也在家裡抱著小孩痛哭流涕。在這個時候，不論再怎麼遲鈍的女人，也會恍然明白這是怎麼一回事。

另一位腳踏多條船的女性朋友，則守在電話旁邊等那些男友打電話來。

五秒鐘的地震還沒晃停，電話就打

進來的男人，將他編號「第一」。

過十分鐘才打進來的，編號「第二」。

一夜沒打來的，編號「第三」。

對於編號「第一」與「第二」的男人，她有感動、也有感激。

但最令她心繫奪魂的，竟然是一夜都沒打電話進來，編號「第三」的男人。

「他，該不會出了什麼事吧？」

得不到的，總是比較吸引人——這是愛情的爲難。得其情，哀衿勿喜。是好是壞、是悲是喜，至少一場大地震下來，讓愛得昏頭昏腦的都會男女，突然有點清醒，終於明白了自己心裡要的是什麼。

尋常日子裡，愛得七葷八素的三角戀情、婚外情，都是失去理智的一時之選，唯有在這種生死交關的時候，才會清醒——原來，一對一的相愛相守，在這個時候才能彰顯它光輝的價值。

患難關頭，女人喜歡從觀察男人的本能反應中，來探測男人對她的愛有多少。男人則大呼冤枉，認為這是兩回事，女人想得太複雜。

尤其，腳踏兩條船的男人，想要一次擁有兩份感情，相對地暴露他「野心比較大、能力比較差」的事實。他不見得是特別鍾愛那一條船，只不過風浪太大，他正巧倒向那一邊而已。

保命時，他最愛的，還是自己。

【給女人的叮嚀】
介入別人的婚姻，
就算最後得到勝利，
也不會為此而光榮。

【給男性的忠告】
左右逢源，
是一種投機心理。
要享受齊人之福，
可要有本事才行。

【給同志的祝福】
介入男女的婚姻，
是最不得已的選擇。
三方面的諒解，
十分難得。

有時不妨裝糊塗

愛情，像是一則娛樂新聞。
太過精明的人，談不出好戀愛。
最好保持一點旁觀者清的距離，
才會展現出愛的幽默。

曾經是一對情侶的影視名人，在深夜的馬路上演出「追車記」，消息走漏之後，男女主角各自分別對外解釋當時的情況。前一天說是遇到臨檢緊急停車；第二天說是臨時發現迷路所以停車問路。前一幕說是偕同吃宵夜；後一幕說是送友人回家。前後說辭，反覆矛盾。但兩人對隱瞞事實的默契，倒是有志一同。

妙的是，媒體報導得「霧煞煞」，觀眾和讀者倒是看得「笑哈哈」。爲什麼？因爲大家都知道那叫做「娛樂新聞」，認眞不得，也毋須深究。

當天晚上的情況，究竟如何？已經不重要了。只要危險動作發生後，沒傷害無辜行人，姑且得過且過。

而事發當時的男女演員，到底還能不能算是一對戀人呢？男的是不是依然「深情」如故；女的是不是仍舊「堅貞」如昔？畢竟，這是他們的隱私，不能以「滿足觀眾知的權利」來強求。

我倒是從中學到一個很重要的哲學——在愛情的世界裡，IQ低一點、EQ高一點的人，才能自「愚」娛人。

換句話說：有辦法隨時降低IQ，讓自己笨一點、糊塗一點，面對複雜的情況時，大而化之一點，然後哈哈大笑，一笑泯恩愁的

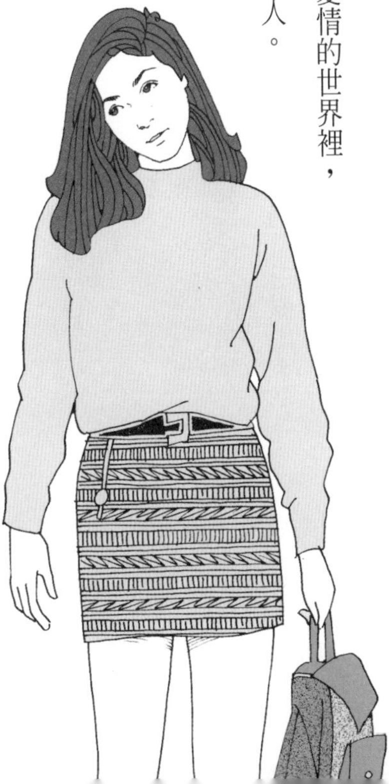

人，EQ必定很高。

娛樂的目的，本來就是爲了得到歡笑。

娛樂圈的明星也常在自己的生活中驚爆有炒作價値的戀愛新聞，自「愚」娛人。IQ高的觀眾，破口大罵：「騙誰啊？搞宣傳啊？把我們當白癡！」EQ高的，一笑置之，反而被娛樂到，現賺歡笑。

至於眞實愛情生活裡的娛樂是爲了一時的好笑，還是恆久的幽默呢？前者容易流於「膚淺」；後者失去臨場的「笑」果。

雖然這的確是兩難的抉擇，但是願意暫時犧牲一點IQ、當場笑倒的人，他的EQ絕對是高了一點。事過境遷之後，再回味一次，也會有「幽默」或「雋永」的趣味吧。

總之，聽起來好笑的事情，通常都不太費腦筋。太費腦筋的事情，轉幾圈才會發現趣味之所在，頂多叫做「幽默」或「雋永」，但絕不會說成「好笑」。但絞盡腦汁之後，若覺得很好笑，很可能是因爲IQ低了一點、

EQ高了一點，所以才會出現自「愚」娛人的特殊「笑」果！

愛情，像是一則娛樂新聞。看別人談戀愛，最好保持一點旁觀者清的距離，才會懂得愛的幽默。

當自己陷入情網，難免當局者迷，身處愛情的迷宮，有時候不妨裝糊塗。太過精明的人，談不出好戀愛，願意放下身段，自「愚」娛人，愛情才會在趣味中永續發展。

【給女人的叮嚀】
骨子裡精明、
表面上裝迷糊的女人，
最令男人無法抗拒。

【給男性的忠告】
除了財富和相貌，
幽默感，
對女人也有致命的吸引力。

【給同志的祝福】
幽默與體貼，
智慧與品味，
讓你的愛情不落俗套。

一夜風流的代價

如果，孩子對父母是否曾經相愛的答案存疑，
怎麼奢求他長大之後有能力去愛與被愛。
倘若，他失去對愛情的信仰，
又是否會在「一夜風流」的宿命裡繼續漂泊……

一夜風流要付出多少代價？這是個常被提出的問題，但是答案通常都不是很具體。例如：可能會遭到仙人跳被勒索錢財、可能要付墮胎費、可能會得到性病、可能會……由於這些答案都太抽象，所以恫嚇的意味，遠大於實質的警惕。

擅長詮釋情歌的齊秦，被親生兒子控告「惡意遺棄」的官司落幕之後，除了對當事人有所交代之外，也對社會大眾有重大的意義，因爲它將一夜風流的代價，以十分具體的數字呈現。

纏訟多時的這場官司，最後以和解收場。當初女方要求的一千五百萬，法院初步判決五百二十六萬，最後一次開庭，雙方達成協議：齊秦允諾先支付一百二十萬元現金，再按月支付七萬元生活費。這個數字對收入在一般水準的上班族、或完全沒有固定收入的青少年而言，都可以算是一筆天文數字，要努力大半輩子才能賺得回來。從激情熱愛到脫褲上床，男人啊！你可得三思而後行啊！

除了數字會說話之外，還有一些隱藏在數字之外的代價，也不可忽視。被親生兒子控告，本來就是一樁遺憾的事。金錢的補償，頂多只能透過法理的管道，讓提出訴訟的一方用以改善生活上物質的匱乏，但精神方面的欠缺，被愛與關懷的渴求，卻不是金錢所能彌補於萬一。

沒有感情的血緣關係，讓「血濃於水」的父子，比不上「君子之交淡如水」的朋友，DNA不再是親密關係的記號，而是必須給錢的證據，眞是教人情何以堪？

齊秦的案例，並不複雜，當事人兩造之所以必須對簿公堂，最主要的原因是雙方不但船過水無痕，沒有深厚的感情基礎，比這個還更嚴重的是，連基本的信任基礎都沒有，兩個人中間也缺乏共同信賴的朋友，可以幫忙溝通。

最可憐的其實是夾在中間的孩子，從小在沒有父親疼愛的環境下成長，加上經濟條件很貧乏，身心都沒能獲得妥善的照顧。對於父母之間究竟發生過什麼事，也毫無概念。

「他們眞的愛過嗎？」這個答案，將會影響孩子一生對於愛情的信念。如果，孩子對父母是否曾經相愛的答案存疑，我們

怎麼奢求他長大之後有能力去愛與被愛。倘若他失去對愛情的信仰，又是否會重蹈覆轍，在「一夜風流」的宿命裡繼續漂泊？

雖然，對現代男女來說，「一夜風流」早已經可以被解讀成你情我願，誰也不須對誰負責；但是，若「情盡緣未了」，沒有感情卻留下血緣關係，誰能保證十年、二十年之後，沒有類似齊秦的官司纏身。講到這裡，曾經一夜風流過的男性，是否開始緊張起來？是的，男人的風流債是不受法律保障的。至少，上床前先準備個三、五百萬再說吧！

【給女人的叮嚀】
一夜風流的感情不可靠，
一覺醒來麻煩事不少。
上床之前，務必三思。

【給男性的忠告】
如果蓋棉被之後，
不可能純聊天；
請務必做好完整的
避孕措施。

【給同志的祝福】
一夜風流，
不是宿命，是選擇。
如果無可避免，
激情之前，先求安全。

gauche d'amour la rive gauche d'amour la rive gauche d'amour la rive gauche d'amour la rive gauche d'amour

la rive gauche d'amour

孝子，不是好丈夫？

男人沒有三頭六臂，只有一付肩膀，
婚前太顧家的男人，婚後未必會是個好丈夫。
傳統的婆媳衝突，夾在中間左右為難的，
絕對是個孝順的男人。

婚前的她，看中他對父母的孝順。

印象最深的是在熱戀期間，有一次約會前三十分鐘，他突然打電話來道歉：

「我本來已經要準備出門赴約了，沒想到母親突然覺得身體不太舒服，剛巧我父親有事外出不在……我們是不是可以取消今天的約會，改天再請妳吃大餐，好好補償妳！」

「要不要緊？我過來看看伯母吧！」

放棄約會的她，趕到他家，看見他的母親剛吃藥，已經好多了。

當時，她看見母慈子孝的這一幕，心裡還非常感動，暗自忖度：

「這麼孝順的男人，絕對會是個有家庭責任感的好丈夫。」

結婚不到半年，她就發現：婚前太顧家的男人，婚後未必會是個好丈夫。

畢竟，一個男人的心力有限。

對家庭有責任感的男人，不一定有能力同時照顧兩個家。就算太太願意

和公婆同住，丈夫也很難做好資源分配。

傳統的婆媳衝突，夾在中間左右爲難的，絕對是個孝順的男人。道理很簡單，他若不夠孝順，根本不會陷於左右爲難的困境。

婆媳之爭，最怕的是雙方勢均力敵。

如果，其中一方具有一面倒的強烈優勢，另一方只有乖乖聽話的份，煩不到這個男人去兩邊吃力不討好。

孝順的男人，習慣以父母爲重，難免忽略妻子的感受。

身爲孝子的妻子，心情上常常在洗三溫暖，既熱鬧又荒涼。其實丈夫很好，不近煙酒與女色，無可挑剔，但太靠近他的父母，心就不在太太這一邊。但在別人眼裡，這哪能算是缺點呢？

也許，這男人會說：

「不，太太，妳誤會了。我不是這樣的，只不過父母年紀大了，比較依賴我而已。我還是很愛妳的。」

可惜，孝順的男人沒有三頭六臂，只有一付肩膀，就算再怎麼強壯，也無法說服太太心裡的恐慌。

心理學的研究指出：「成年以後和父母相處得過度親密，是一種不夠獨立的依賴關係。」

也許，孝順這件事的本身沒有錯，錯在他自己、他的父母和他的妻子，三方面都還不夠獨立吧！

【給女人的叮嚀】
身為孝子旁邊的女人，
一定要比別人
有更大的包容力。

【給男性的忠告】
孝子與好丈夫，
是個難以兩全兼顧的角色，
盡力而為吧！

【給同志的祝福】
不論父母是否認同你的情人，
至少讓他們先從朋友做起。

氣短英雄情不長

死不認帳，是男人在東窗事發時很自然的反應。

他們抵死不從，彷彿在為自己脫罪，不敢面對處罰。

其實，對男人而言，最大的處罰是令他失去男性的自尊。

「士可殺，不可辱！」男人在犯錯時，特別信仰這句話。

犯錯的男人，多數不肯認錯。觀察那些把「誠實，才是上策！」掛在嘴邊的男人，其實是在犯錯之後，被動地坦承某部分因爲逼不得已而必須公開的眞相，並不是主動地眞心想要以誠實爲上策。

以美國總統柯林頓當年與陸文斯基的桃色事件爲例，剛剛爆發之初，柯林頓的說辭十分閃爍，若非面對司法調查等強大的壓力，他根本就不會輕易吐實。

本地某位地方政府幕僚人員，多年前與情人偷腥，在翻雲覆雨的錄影帶公開之後，才在「我太太很支持我」的前提下，坦承錯誤。後來，果真還是免不了吃上妨害家庭的官司。

不論他們的態度，表現得很高傲、很謙卑、還是很無辜，都不免露出「心不甘、情不願」的馬腳。香港影壇巨星出軌，直到女方即將臨盆，男方才肯面對媒體。也許，他心中眞正懺悔，但發言時仍以「如果，確定小孩是我的……」當作堅持緋聞三點不露的遮羞布，不肯讓事實赤裸裸地曝光。

不只是感情方面的事情如此，男人對於在其他方面因一時衝動所犯的錯，不是死不認帳、就是避重就輕。

一名搶劫犯被警方逮捕後，面對記者訪問時的攝影機鏡頭，也口口聲聲說：

「我不後悔！」

死不認帳，是男人在東窗事發時很自然的反應。心存僥倖的男人，總不肯放過任何一個可以蒙混過關的機會。一旦罪證確鑿了，也不肯立刻繳械投降，寧願在最後一刻做垂死的掙扎。

他們抵死不從，彷彿在爲自己的犯行脫罪，不敢面對處罰。其實，對男人而言，最大的處罰是令他失去男性的自尊。

「士可殺，不可辱！」男人在犯錯時，特別信仰這句話。

男人不肯輕易認錯，就算認錯也不肯放下身段，將犯錯的事實細說從頭，這種堅持的態度，實在令身邊的女人既心疼又不解。

這女人的角色，有時候是「母親」、有時候是「老婆」，對外，她砲口一致，說辭都是：「他對我很好，我相信他絕對不會做這種事情。」

但是，她會私下苦口婆心地勸告男人說：「只要你肯認錯，把事情的來龍去脈交代清楚，保證你今後不再犯，我就原諒你。」

有道是：「英雄氣短，兒女情長！」可惜，男人從來不懂珍惜身邊女人的寬宏大量。

男人，不肯輕易認錯，是因爲他們怕失去「英雄氣概」，怕從此失去其他女人的愛慕，寧願讓他身邊的女人繼續傷心。

【給女人的叮嚀】
發現男人愛面子
甚過於愛妳時，
不要太傷心。至少，
他還有羞恥心啊！

【給男性的忠告】
知恥，近乎勇。
但是，能在心愛的女人面前
放下自尊，
是更大的勇氣。

【給同志的祝福】
懂得妥協，
是相處時的藝術。
過度堅持自尊，
很容易傷了彼此。

帥哥與野狗

每個人的眼光不同、
每個情人的眼裡都可以出現屬於自己的西施。
同一位男士在不同的女性眼中，
可能是帥哥、也可能是野狗。

交通大學一位女生，考進這個以數理科系居多、男生比例偏高的校園之前，曾聽人說：「學校裡的帥哥和野狗一樣多。」正式唸了之後，才發現校園只有野狗沒有帥哥。

失望之餘，做了一首歌「交大無帥哥」，曾經普遍在網路上流傳。年輕人的幽默，本來可以一笑置之。不料，據說這首歌同時激怒了交大的帥哥和野狗。

帥哥們說：「這個女的眞不識貨，自己推銷不出去，還埋怨什麼沒帥哥！」反擊之道，是將該女同學照片貼上網路，供大家瞻仰，以求公斷。

坦白說，我覺得女同學長相還不錯，應該沒有推銷不出去之虞。

爲了「澄清」事實，證明交大的確有帥哥，交大又辦了一場帥哥才藝秀，吸引大批媒體前往採訪。

一時之間，媒體又比交大的野狗多。

野狗於是提出抗議：「喂！你們這些『人』，不好好讀書、學做人，閒著無聊吵來吵去，幹嘛拖我下水咧！我在交大過得好好的，既不咬人、也不亂叫，悠哉快樂得很，別再扯上我了！到時候，學校管理處若爲了突顯帥哥比野狗多，硬把我們趕出校園，我就變成流浪狗了！」

看來，這場爛仗中，最無辜的是交大的野狗。

被陳小春唱得紅遍一時的「男人與公狗」，應該改成「帥哥與野狗」。本來該同病相憐的可愛動物，竟被女同學的一首歌，挑撥成爲爭風吃醋的勁敵，一付誓不兩立的樣子。

女權，因而在交大得到彰顯嗎?我看，也未必。帥哥與野狗的差別，不是一位女同學的一首歌可以說清楚、講明白的。

因爲每個人的眼光不同、每個情人的眼裡都可以出現屬於自己的西施。同一位男士在不同的女性眼中，可能是帥哥、也可能是野狗。

更何況，有些充滿同情心的女人不愛帥哥、只愛野狗。

男人該自立自強的是：想清楚自己要當帥哥、還是野狗。

想當帥哥，要多讀書改善氣質、並學習和女性相處。想當野狗，也要有不討人厭的本事和特色。

在愛情開始之前，以貌取人，是人性中很自然的一部分。幸而，在這個價值觀十分多元化的新世紀裡，青菜蘿蔔各有所好。只要不是花心大蘿蔔，外表長得順眼，談吐不俗，都應該會碰到有緣人前來對你說：

「你真是我心目中的大帥哥！」

聽到這句話的男生，必須要表現得有自信一點。可千萬不要顧左右而言他，反問眼前這位大美女說：「妳指的是我嗎？」

【給女人的叮嚀】
當外表與內涵不可兼得時，
妳該想想：
什麼東西比較持久？

【給男性的忠告】
斯文與狂野雖是不同的特質，
但展現真正的自我，
才能表現出自信。

【給同志的祝福】
欣賞自己的同時，
也讚美對方；
外型與內涵，
相得益彰。

花心男人，收心難！

花心的男人，可能要老到玩不動了，才被迫收山。
愛上花心男人的女人，與其疲於奔命，
一心想斷絕他在外面拈花惹草的可能，
不如拿這些時間來修身養性。

花心男人，若肯爲女人收心，如同浪子回頭金不換，最能令女人心折。

棄醫從政，加入親民黨的張昭雄先生，言語風趣，充滿智慧。他曾經參加大選，跟宋楚瑜先生搭檔競選，成爲「宋張配」。

有一天他上廣播節目，接受葉樹姍小姐訪問時，被問道：

「在宋楚瑜先生正式找你搭檔之前，他還找過其他人，沒有撮合成功，最後才來找你，你有什麼感受？」

他從容地回答：「如果妳的男朋友長得很帥，當他向妳求婚的時候，坦白告訴妳曾經追過誰，這個時候，就不要再酸溜溜地。」

他還主動提到，希望把這個經驗提供給正在經歷愛情階段的年輕男女做參考。無關政治的這一段話，令我印象深刻。

通常，很帥的男人才有資格花心，花心的男人肯爲他的女人收心，實在會令她感動，或許也因而願意原諒他從前的花心。

雖然，她很難做到「原諒」；但是，她會努力。前提是：這個男人必須很帥，而且要以實際行

動保證他會收心。

但這件事情並非難在女人願不願意原諒男人過去的花心，而是難在花心的男人不肯正式表明要收心。

花心男人要學會控制自己的行爲——收心，眞的很困難；要他當眾宣佈收心，這又牽涉到面子問題，更加困難。

影壇大哥，爲了婚外情事件中的女星懷了自己龍種的事，面對巨大的媒體壓力，以把許多男人拖下水的方式認了錯，承認自己「貪玩」，犯了很多男人都會犯的錯，卻從來沒有公開表示就此收山，不再貪玩。

花心的男人，可能要老到玩不動了，才被迫退休，收山不玩。要他們收心，可比登天還難。

經歷過許多教訓的男人，如果能因此而學會玩得更小心謹愼，不再捅出大麻煩，可就要謝天謝地啦！

愛上花心男人的女人，與其每天疲於奔命地找徵信社、或如凶神惡煞般逼他斬雞頭立誓，一心想斷絕他在外面拈花惹草的可能，不如拿這些時間來修身養性。至少，等花心男人玩累了、要收山時，回頭來看她，女人還保持著溫和平靜的容貌，可供男人欣賞疼惜。

當然，多數女人不想如此委屈自己，連「睜一隻眼、閉一隻眼」都很難做到，就更別提其他偉大的情操。癡情的女人，該衡量自己的能耐與底限，愛上花心的男人時，別跟自己的青春過不去啊！

【給女人的叮嚀】
與其等花心男人回頭，
不如讓他自由。

【給男性的忠告】
花心，
不是什麼好本事，
但需要有本錢，
別太早掏空自己啊！

【給同志的祝福】
當性浮濫到最後，
才會發現：
錯失的真愛，
永不回頭。

大街上的溜煙男子

當不安的女人，嚴厲地對抽煙的男人說：
「香煙和我之間，你只能選擇一個。」表示愛情即將結束。
男人，一定會選擇香煙。
以及，一個不會限制他抽煙的女人。

像快要溺斃的魚，飛快浮出水面急急吐氣，然後，還是不得不回到水底那個冰冷的世界，和寂寞的幸福相依。

在大街上，常看到陪女人購物的男人，以迅雷不及掩耳的速度，從名品店裡奪門而出，溜到騎樓下的柱子旁，毒癮將發作似的，以抖動的雙手取出香煙和打火機，深深地吸了一大口，接著仰天吐氣，彷彿把所有不喜歡陪女人逛街的無奈，一吐而盡。

我把他們稱之爲「溜煙男子」。

正在購物興頭上的女人，發現身邊的男人一溜煙就不見了——他們果眞是「溜煙」去了。

和這樣的男人逛街，女人的抱怨很多。

「好沒誠意喔！正猶豫要買哪個顏色，不幫我出點主意，突然間人就不見了！」

女人抱怨的語氣聽來是撒嬌，男人聽聽就好，不必當眞。

「眞氣人！到底還是抽煙比我重要！」

聽來這話中已經有點怒意了，但還不嚴重。男人抽煙回來，小心賠個不是就可以。

「很沒安全感耶！不如帶狗出來溜！」

這種話講得傷人、也傷狗。她忘了很多高級的名品店是不歡迎寵物的。男人，有時候比寵物還不如，但不必當街傷感情。

女人的抱怨再多，其實並不很要緊。最重要的是，男人「溜煙」回來，要記得以慷慨而愧疚的姿態，大方地取出皮夾中的信用卡交給負責售貨的店員，然後以整家商店都聽得到的音量，大聲地說：「把這位小姐剛才挑的東西，統統包起來！」

沒這種本事的男人，最好不要在陪女人逛街途中，隨便溜出去抽煙，當心一回頭，她已經跟別人跑了。

對男人來說，香煙和女人之間，存在著某種既競爭又合作的關係。

當心愛的女人，願意溫柔地拿打火機幫男人點煙時，是一幕極性感及親密的畫面。

當鍾情的女人，輕聲叮嚀身邊的男人：「別抽太多煙喔！」是一種接近友誼的關心，愛得很透明。

當不安的女人，嚴厲地對抽煙的男人說：「香煙和我之間，你只能選擇一個。」表示愛情即將結束。

男人，一定會選擇香煙。以及，一個不會限制他抽煙的女人。

【給女人的叮嚀】
拒煙，
也要拒二手煙。
身處非禁煙區時，
記得離開遠一點。

【給男性的忠告】
吸煙過量，有礙健康。
對性能力，
也有負面影響。

【給同志的祝福】
愛情，
有時候是一根淡煙。
偶而可以來一根，
燃燒不太濃烈的餘情。

虛度青春的男子

這個城市住著許多虛度青春的男女。
彼此之間，五十步笑百步。
等待愛情來臨之前的空窗期，
應該用來好好打理自己。

週末前的傍晚，臨時被一位女性的朋友放鴿子，我站在百貨公司門口的騎樓，盤算著下一步怎麼走。

半年一次的折扣拍賣，帶來川流不息的人潮，讓百貨公司淪陷成一座高級夜市。

如果，此刻透過衛星導航系統瀏覽市街，唯一不動的風景，可能只有我。哦！不，我不配稱之爲風景。我的餘光瞥見另一個站在圓柱下動也不動的中年男人，比較值得入鏡。

他毫不起眼的容貌，甚至醜到可以歸納爲「有特色」那一型，難得的是沒有小腹。之所以特別注意到他，一方面是當時的我實在太無聊，另一個原因是他的穿著。

微涼的夜晚，將西裝外套掛在肩膀，上身是藍色的襯衫打銀藍的素色領帶，下身非常合身的西褲，剪裁的式樣十分摩登，腳上一雙閃閃發亮的高級皮鞋。平實的外表，在那一身衣著的包裝下，顯出獨特的氣質。

我好奇地想知道什麼樣出眾的女人，適配這樣特別的男人。

約莫十分鐘，答案揭曉——他等的是一個禿頭肥肚的男人，從見面打招呼的方式，看得出來是生意上的朋友。他們握手寒喧，拿著資料往餐廳走去。

好奇心沒有被滿足的我，有些悵然。

原來，他和我一樣都是虛度青春的男人。什麼樣的生意，要忙到週末前，還要放下愛情，把點著燭光的餐廳當作商場。

週末前一天晚上，沒有愛情陪伴的人生，不但寂寞，而且淒涼。

我有點幸災樂禍，至少我還有自由自在的選擇。而他，卻必須和生意上的朋友，言不及義地混幾個鐘頭。

搭上回程的捷運，我在車廂內誠實地發現——這個城市住著許多虛度青春的男女。彼此之間，五十步笑百步。

時間，值得花費在美好的事物

上。沒有愛情的人生，時間顯得多餘而沒有意義。

等待愛情來臨之前的空窗期，應該好好打理自己。機會，永遠是留給有準備的人。可別好不容易等到有緣人出現的那一刻，才發現自己儀容不整、聊天找不到話題。

暫時沒有戀愛可以經營的男男女女啊！愛情最大的成就，莫過於了解自己。如果，能夠不依賴愛情就找到自己，所有的青春都不算白白浪費。

【給女人的叮嚀】
愛情，
不是件件美好。
但是，
卻讓我們漸漸長大。

【給男性的忠告】
愛情，
來臨前要先準備，
到達以後才不會太累。

【給同志的祝福】
所有的等待與準備
都是值得的，
將在相遇的那一瞬間
綻放火花。

不適合結婚的男人

有些男人根本不認同一夫一妻的婚姻制度，
但還是糊里糊塗結了婚，
苦了倚閭待君歸的枕邊人，
也為難了貪玩成性的自己。

影壇巨星婚外偷情之後，女方甘冒「父不詳」的風險，堅持將孩子生出來。他承認自己貪玩，傳聞中婚後還追求過眾多女友。

根據報載，還有一位明星的事業心很重、很少回家，甚至連親生兒子今年唸幾年級都搞不清楚。

在有婚姻關係的家庭中，這算得上是另一種「父不詳」——父親不知道同一屋簷下親生兒子的狀況。

綜合這幾年來，許多公眾人物出軌之後在媒體上的發言，我倒認爲他們的錯並非在於婚外偷情，而是錯在他們根本不適合結婚。

這種男人實在不適合一夫一妻的婚姻制度，但他還是糊里糊塗結了婚，這才是最大的錯誤、最根本的問題。

偏偏，全天下像他這樣的男人實在多得不勝枚舉，苦了倚閭待君歸的枕邊人，也爲難了貪玩成性的自己。

一夫一妻的婚姻制度，並不適合每個人，但是在傳統社會的壓力約束之下，很多人還是不得不勉強結婚，弄得自己很不快樂，有心和他共同經營幸福人生的婚姻伴侶也無法如願。

不適合結婚的理由很多。例如：

不認同婚姻制度的責任、太強調個人的自由與獨立、崇尚性開放到夜夜

換床伴才能睡覺、未婚前已經發現嚴重性功能障礙、精神或身體狀況確定會危害對方……等。

具備以上這些特質的人，也許維持單身會比隨便找個對象結婚，要來得幸福。不必勉強結婚，爲難自己，也糟蹋別人。

除非，在婚前已經明白這些情況，坦白告訴對方，彼此經過深思熟慮之後，認爲有能力適應不同於傳統婚姻價值觀的生活形式，雙方都願意試著努力經營出另類的婚姻幸福，否則，何必爲了區區收幾個婚宴的紅包，勞師動眾、多此一舉呢！

不適合結婚的人，就算勉強維持婚姻的形式，將來問題層出不窮，雙方疲於應付，把一個人的痛苦，延展爲一家人、甚至兩個家族的不幸，才是罪過哩。

談戀愛的過程中，應該先弄清楚彼此對婚姻的價值觀是否一致。

萬一，情到深處才發現對方要的婚姻生活並不是自己所想像中的那一回事，寧願及時踩煞車，以長痛不如短痛的決心，成全對方、祝福自己。

畢竟，婚姻是一生重要的決定。結婚之前，就算認賠了結的損失再慘重，也不至於輸光一切；比起結婚以後，才發現對方是個不適合結婚的人，要少賠一些。

【給女人的叮嚀】
婚紗雖美，只穿一天。
雙方認同婚姻的價值，
才能維持長久的美。

【給男性的忠告】
不要在頭昏時決定婚事；
想清楚婚姻的責任與義務，
再結婚吧！

【給同志的祝福】
美好的同性婚姻，
值得期待。
但兩人相愛比立法，
更有意義。

自己落井，拖別人下水？

男人自己落井，還要拖別人下水、傷及無辜，
仔細想想，這種行為雖然可惡，但也有值得同情之處。
男人，並不是故意「比爛」，
只不過想把同伴染得黑一點，以免自己的錯誤太突出。

男人常被女人罵：「天下烏鴉一般黑！」說句實話，男人不是被女人罵黑的，而是被其他男人給染黑的。

政治選舉期間，相信大家都已經領教過候選人之間互相「抹黑」的功力了，由於參政的候選人，以男性居多數，用此來說明男人做錯事情的時候，

習慣拖別人下水、甚至傷及無辜的現象，應該比較容易瞭解。

影壇巨星坦承婚外播種的事件時，以「我只是犯了許多男人都會犯的錯！」這種方式來認錯，令大家覺得實在有失他在銀幕上的英雄氣度。

但是，請大家不要苛責他，大部分的男人都是用這種方式來承擔他們所犯的錯。男人沒有惡意，只不過找到共犯結構，心理負擔比較輕。

曾經有一位軍事首長，在被質詢爲何部隊一再發生命案時，直率地回答：「哪個地方沒有死人啊？」被社會各界認爲發言不當而遭痛批，避過風頭之後，還是一再被當成笑話講，聽者無不搖頭。

台灣發生大地震之後，另一位主管內政的官員，被質詢建築施工品質不良時，也大聲地辯護：

「全世界偷工減料的又不只台灣！」

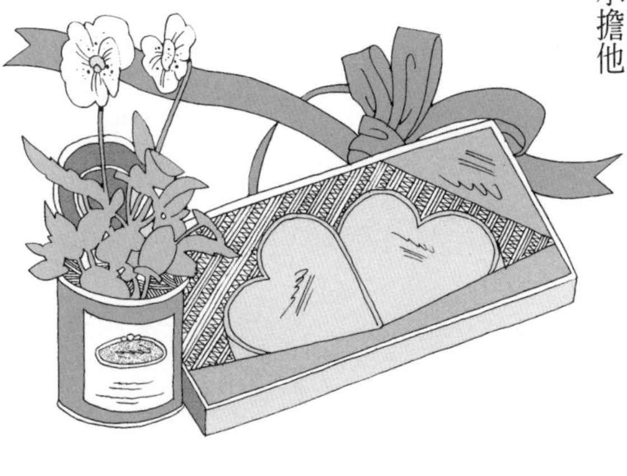

大丈夫一言既出、駟馬難追，果然又留下千古笑柄。

以上這三位仁兄，都說得振振有詞，所陳述的內容，也不完全背離事實，卻都不被大眾所接受。

我記得，唸書的時候，班上同學考試作弊被抓，也會低聲抱怨：

「眞倒楣，作弊的又不只有我一個人，卻只抓到我。」

這些言論聽起來十分荒謬，一聽就知道完全不合理，似乎不應當被拿來作爲正當防衛之用。

偏偏，在各種場合都會聽到類似的辯解。

其實，男人在爲自己所犯的錯辯解的時候，並無意表現傲慢的態度，反而是因爲自己太害怕無力承擔犯錯的後果，只好找別人共同頂罪。

丈夫對妻子說：

「妳別嫌我應酬晚回來，小張還有徹夜不歸的紀錄呢！」

男人自己落井，還要拖別人下水、傷及無辜，表面上看來實在罪不可赦。仔細想想，這種行爲雖然可惡，卻也有值得同情之處。

男人，並不是故意「比爛」，只不過是想把同伴染得黑一點，以免自己的錯誤太突出。

【給女人的叮嚀】
男人，
為自己辯解的時候，
愈是表現得傲慢，
表示他愈心虛。

【給男性的忠告】
男人之間，
相互掩護是一種美德。
但是，
請不要陷害無辜。

【給同志的祝福】
犯錯，
並不是不能被原諒。
只要不重複犯同樣的錯，
就値得寬容以待了。

收容男人的眼淚

男人，哭吧！哭吧！不是罪。

流出眼淚，情緒得到鬆懈。

男人，願意收容男人的眼淚，顯示友誼的珍貴。

女人，能夠收容男人的眼淚，代表兩性的和解。

想哭的男人，其實很多；但是眞正會哭的男人，則少之又少。因爲，這世界沒有什麼地方能夠收容男人的眼淚。

悲傷或鬱卒到快要哭出來的男人，通常只有一個選擇，把眼淚往肚子裡吞。

難怪天王劉德華要高唱——男人，哭吧！哭吧！不是罪。

從前，有一位男同事爲了某件誤會遭受委屈，開會時在會議室裡忍不住痛哭，在場的人不分男女都給予安慰及鼓勵。

事後，女性的同事覺得有些尷尬；男性的同事則儘量不再重提此事。

在那個還不太懂得處理自己與別人EQ的年代裡，男人的眼淚稀有到令大家不知怎麼面對。但至少，當事人得到寬慰，男人流出眼淚，情緒得到鬆懈，不會把自己逼到煙酒裡麻醉。

最近，另一個年近四十歲的男性朋友打電話給我，與我分享他一次很特別的經驗。

他出國公差一個星期後，剛回到家，可能太累或情緒不對，爲了一件很小的瑣事，竟與同居女友吵到不可開交的地步。

導火線是她說：

「你不在的這一個禮拜，我哪兒也沒去，都在打掃房子，弄得這麼乾淨，你難道都看不出來？一點讚美都沒有！」

而他心裡想的卻是：

「我剛回來，累都累死了！妳不要拿小事來煩我。」

沒有設身處地爲對方著想，純粹是這麼簡單的溝通障礙，卻讓他們翻起更多舊帳，鬧到提出「分手」。

「還好，當天晚上一個朋友打電話來，講著講著覺得男人好累，我竟然哭了起來。後來，整個人就變得很輕鬆，什麼事都沒有了！」他對我說。

這個男人找到另一個男人收容了他的眼淚，的確是一次奇妙而難得的經驗。掛上電話，我不禁假想，這世界上有誰會收容我的眼淚呢？

在心裡列出幾個人的同時，也出現幸福的感覺。

男人，願意收容男人的眼淚，顯示友誼的珍貴。

女人，能夠收容男人的眼淚，代表兩性的和解。

不論男人或女人，面對一位坐在你面前哭泣的男人，不必多說什麼，只要伸出雙臂，給他一個溫暖的擁抱，就勝過千言萬語。

擦乾眼淚之後，如果，他願意分享，你可以靜靜聽他分享；如果，他不願再多說什麼，也不必勉強。流淚的過程，就是一種感情的交流，盡在不言中。

【給女人的叮嚀】
如果妳的男人
從來不曾在妳面前流淚；
他可能壓抑得太久了。

【給男性的忠告】
適度的流淚，
有助於感情的交流。
鐵漢柔情，
最令人動容。

【給同志的祝福】
眼淚，
是無聲的語言。
聽聽情人的眼淚在說話，
裡面藏著愛的千言萬語。

gauche d'amour la rive gauche d'amour la rive gauche d'amour la rive gauche d'amour la rive gauche d'amour

la rive gauche d'amour

可以嗎？

la rive gauche d'amour la rive gauche d'amour la rive gauche d'amour la rive gauche d'amour la rive gauche

假裝你還愛著我！

經歷感情生變的9個危險：

- 降溫退燒
- 沒有意見
- 忽略徵兆
- 凍蛙效應
- 苟延殘喘
- 記得當時
- 情敵相惜
- 工作第一
- 有心無意

情到疲乏時轉為薄

情到濃時轉為薄？
熱情慢慢退燒的原因，是因為「什麼事也沒有」。
如果兩個人有些未完的夢想要追求，
熱情比較不會那麼快被現實沖淡。

愛情跨越過半生不熟的階段之後，常以無法控制的速度進展。陷入熱戀期的男女，果然是「兩岸猿聲啼不住、輕舟已過萬重山」，很難想像有一天兩個人會走到無話可說、形同陌路的地步。

情到何時轉爲薄？

身在其中的人，渾然不知。

心碎過的人，回憶既往，在不勝唏噓中，幾乎都有很近似的答案——情到濃時轉爲薄。

以現今的社會節奏來說，熱戀期大概是兩到三年。

根據因主辦男女聯誼而廣受歡迎的電視節目「非常男女」製作單位統計：報名參加節目的男男女女的經驗中，大約有百分七十的戀情是結束在熱戀後的第二年到第三年。

戀情由濃轉薄，有一個很重要的原因就是——新鮮感消失。

不論是對方的思考方式、生活習慣、或是兩個人的約會模式，都已經漸漸固定下來，很容易因爲疲乏而覺得厭煩。

自從談戀愛之後已經玩遍千山萬水的她，最近感到十分憂鬱。

「爲什麼我對和他約會這件事，愈來愈提不起勁？」她無辜地說，「每次他約我出去，我就問他：『去哪裡？』當他說出一個地點之後，一定會被我否決掉。」

「因爲那些地方你們都去過了！」我大概能猜測到困擾她的原因。

「大概吧！你說的沒錯，不斷重複去做同樣的事，令我覺得很沒有意思。但是，他卻一口咬定，以爲我的身邊已經出現第三者。其實，什麼事也沒有。」

是啊！她說的一點都沒錯，熱情慢慢退燒的原因，就是因爲「什麼事也沒有」，如果，兩個人有些患難與共的經驗、有些未完的夢想要追求，熱情比較不會那麼快被現實沖淡。

各自擁有比較多的生命深度和廣度，愈有可能在相戀多年之後依然「相看兩不厭」。

法國作家羅斯福格說：「愛情，必須像火一樣，不停地燃燒才能持續。當害怕失去對方的感

覺，已經漸漸不存在時，表示愛的火苗已經快要熄滅了。」

然而，燃燒愛的火焰，不能光靠一時的熱情，也不能只靠一把扇子煽火，勢單力薄的結果，到最後若不是油枯燈盡、就是玉石俱焚。

戀情要維持得比較久，眞的必須要靠兩個人共同努力。如果，只靠一個人積極成長，另一個人一直趕不上，這段戀情終究還是會漸行漸遠；如火的熱情，還是會因爲成長的步調不同而結成冰。

【給女人的叮嚀】
在愛中創新，
引領對方一起前進，
才能愈走愈遠。

【給男性的忠告】
天下沒有醜女人，
只有懶女人。
世上沒有爛愛情，
只有懶男人。

【給同志的祝福】
以「變」應「萬變」，
才是愛情不變的真理。

快樂的時候就要做決定

兩人相愛，
快樂的時候就要學會由自己做決定。
否則，悲傷的決定，
也會是操之在對方的手上。

有一位知名男士與新歡論及婚嫁。消息走漏，他的舊愛聽到風聲，跑出來向記者哭訴，求個公道。

「請他在腳踏的兩條船中，公開做一個決定。」他要結婚了，新娘不是她，難怪舊愛不甘心。

閃躲幾天之後，他很快地公開表態選擇新歡。

舊愛說：「既然你做了決定，我祝福你們！」

看起來是很有風度的一則社會新聞，卻有一個女人最悲傷的心事。她什麼也沒錯，只錯在太少由自己決定。

兩人相愛，快樂的時候就要學會由自己做決定。否則，悲傷的決定，也會是操之在對方的手上。

偏偏熱戀的時候很快樂，快樂到令人不想做任何決定。

「親愛的，今天去哪裡吃晚餐？」他說。

「都好啊！隨便你啊！」她回答的音調很黏。

「我的阿娜答！待會兒去哪裡看電影？」他問。

「我沒有意見，你做決定就好嘛！」說話的語氣，讓聽的人完全投降。

被授權做決定的那方，雖然並不一定很樂意

承擔這個決定的責任，但爲了愛，也會不顧一切地成爲對方的依賴。

不論去哪裡用餐，看什麼電影，熱戀的人都會非常快樂地接受一切，並盡情享受。哪怕決定的結果，稍有不如人意，吃了一頓很難下嚥的晚餐，看了一部窮極無聊的電影，都會是他們口中「浪漫回憶裡，永生難忘的插曲」。

能夠快樂地賴著一個人，凡事由他做主，眞是一種幸福。

不過，通常這種無知的幸福維持不了多久。

百分之百依賴對方，漸漸地把自己弄得很軟弱。在愛情中，太軟弱的人，魅力盡失，或許可以得到對方暫時的同情，但不會一輩子留住對方的眞心。

終究，有一天快樂會成爲過去。

愛情出現危機的時候，習慣由對方做決定的人，還是傻傻地說：「我們之間的關係，由你決定。」

等到最後，對方終於給出一個令人悲傷的決定：「謝謝你陪我走了這一段。」

這真是個悲傷的決定。悲傷的癥結，不只在於結論，而是過程。坎坷情路，經常要做出各種大大小小的決定。能把握時機，主動做出決定的人，比較佔上風，是愛情的勇者。不斷錯過時機，一直等待對方做決定的人，只能獨自接受所有悲傷的結局。

【給女人的叮嚀】
主動做決定時，
只要態度委婉一些，
就不會給對方帶來
很強勢的壓力。

【給男性的忠告】
若不想被批評為：
有「大男人主義」傾向，
就從尊重對方的決定開始。

【給同志的祝福】
愛情的決定，
雖不完全操之在己，
但必須適時表達意見，
才不會委屈自己。

愛情變天，有跡可尋

當愛情變天的時候，
只能憑經驗、憑感覺，心領神會。
聰明的人還是嗅得出不同的味道，
提醒自己即將面對的抉擇。

愛情變天，常令人措手不及。誰叫愛情的世界，沒有氣象局。只能憑經驗、憑感覺，心領神會。

愛情的變化，十分難以掌握。

因爲每一次戀愛所碰到的，都是不同的對象。而和上一次對象所累積的經驗，不見得適用在下一個情人身上。

但是，當愛情變天的時候，聰明的人還是嗅得出不同的味道，提醒自己即將面對的抉擇。

如同天氣再怎麼變化多端，還是有跡可循、有經驗可以參考。例如：端午過後，溫度驟升；感覺天氣悶熱，表示必有大雨將至，你早該準備雨傘出門，而不是在淋成落湯雞之後，才狼狽地蹲在一旁怨天尤人。

很多外遇事件發生之後，枕邊人哭鬧說：「爲什麼？爲什麼他有外遇，而我是最後一個知道的？」

其實，這句充滿悲傷的話，並不值得同情。如果你眞的遲鈍到這種地步，連你的伴侶另有新歡都無法察覺，也難怪對方會出軌。

我想你大概是個神經線粗到很乏味的人；要不然就是很少關心對方、也不曾仔細觀察對方吧！

想想看下面的幾個問題，你的答案會是什麼：

●你們之間有共同的夢想嗎？你能夠簡單扼要描述嗎？

●你們多久沒有促膝而坐、秉燭夜談？

●最近對方的生活中有什麼成就、有什麼挫折？

●你錯過了哪些分享他歡喜哀愁的機會？

●你一直強迫他做些什麼改變，而他一直無法做到嗎？

●最近陪他去做過一件他很感興趣的事嗎？

這些都是很具體的測驗題，答案做完，結果立刻分曉。你的愛情品質好不好？會不會變天？你應該比誰都清楚、比誰都更早知道。

不要逃避，不要騙自己，最後這個問題的答案，你一定感受得到——他，看你的時候，眼裡還有愛意嗎？

發現愛情變天的跡象，需要一點膽量、一點智慧，讓自己去面對現實。

一味地責怪對方，並不能眞正挽回什麼。

大雨將至，不會立刻放晴。你要安安靜靜獨自撐著傘走一段路，還是請他繼續留在傘下陪你？或者，一個人走在雨中，痛哭一場？都好。但不要只是手足無措地哭鬧說：「天有不測風雲啊！」

【給女人的叮嚀】
只需觀察，不必探測。
愛情的病，
早發現、早治療，
但不要多疑。

【給男性的忠告】
持續地表達關心，
是一種溫度，
可以讓愛的晴天
維持得久一點。

【給同志的祝福】
愛的路上，誘惑太多。
你只能鍛鍊不為所動的勇氣，
不能因此而放棄向前走。

漸行漸遠的距離

愛情裡的「煮蛙效應」用的不是文火慢慢加熱，
而是冰水漸漸凍僵，兩隻青蛙同樣失去知覺，
正如相愛的兩個人，
對愛漸漸的感覺麻痺。

政壇帥哥黃義交先生的前妻鄭春悅女士出書，寫她和黃義交的點點滴滴，書名叫做《離開心更寬》，道盡愛情的無奈。

相愛的人，若被迫分離，相隔兩地，明日天涯，世界雖寬闊，心卻永遠相隨。暫時離開，兩顆心會隔著遙遠的距離更加緊緊相依。

只有不愛了的人，分離之後，他走他的陽關道，你過你的獨木橋，處在不同世界的兩顆心，當然可以各自寬闊。

鄭春悅表示：當年黃義交追求她的時候，還是個窮學生，他總是存下零用錢的銅板，每天打公共電話，跟她情話綿綿；假日則騎著他的破機車，載她去淡水兜風。從這些描述裡，不難感受當時的熱烈與甜蜜。

每一對情侶，剛開始的時候，都是這樣啊！把流星當成鑽石，易開罐拉環當作訂情戒指……不同的是：有些情侶後來擁有了眞正的鑽戒，到白髮蒼蒼時還百般珍惜地戴在手指；有些連鑽戒都還沒來得及買，就分道揚鑣。

很悽慘的狀況是：買了鑽戒、也戴了幾年，有一天卻脫了下來，永遠不想再戴它。而更慘的是：走了以後，還必須回首往事說：「離開心更寬！」對外宣示自己已經走出陰影的豁達，難免使得對方難堪。

離開之後，能夠寬心，當然值得安慰。但這不是眞正的重點，比較需要在意的是：究竟是什麼原因，讓兩個人從當初的濃情蜜意，走到後來漸行漸遠？

也許，愛情裡存在著另一種「煮蛙效應」；我將它改稱爲「凍蛙效應」。

「煮蛙效應」最原始的版本是：兩隻活蹦亂跳的青蛙，一旦跳進熱情如火的鍋裡，不知不覺地適應了逐漸升高的溫度，然後變得麻木，直到水煮開了，牠們就呆呆地死在裡面。

愛到昏頭的有情人，看到這個例子的時候，還眞恨不得自己是那兩隻青蛙，就算悄悄被燙個半死也無憾。

偏偏愛情裡的「煮蛙效應」是另一種極端的調理方式，用的不是文火慢慢加熱，而是冰水漸漸凍僵，兩隻青蛙同樣失去知覺，正如相愛的兩個人，對愛漸漸的感覺麻痺。

冰凍三尺，非一日之寒。從如膠似漆到形同陌路，也不是一步踏出的距離。

分手的戀人啊！往事不堪回首，但回頭看的時候，不要只是看那個人的昔日照片，也不要留戀他的背影。

要仔細看的，是情路上的一步一腳印，從那些錯亂的、猶疑的、徬徨的、不信任的腳步中，發現愛情由濃轉薄的蛛絲馬跡，學習可以在下一段戀情中讓愛歷久彌新的方法。但願，路沒有白走，所有的苦也沒有白挨。

【給女人的叮嚀】
愛情路上，
一步一腳印。
只要雙方認真攜手走過，
每一步都値得紀念。

【給男性的忠告】
說過的承諾，
不一定會兌現。
但不兌現的承諾愈多，
幸福的機會愈少。

【給同志的祝福】
以言語溝通、
用心靈分享，
讓相愛的兩個人向幸福靠近。

時辰未到而已！

離不開一個人、分不了手，
很可能只是時候未到而已。
快刀斬亂麻，並非適用於每個人的處世風格。
有些愛情的品種，只適合漸漸凋零。

愛的火花，擦撞的時候需要一點機緣，熄滅的時候也需要一點時間。

忍受女友多次短暫「精神出軌」的他，終於決定要下最後通牒，和她攤牌分手。

然而，就像前面幾次的經驗一樣，她不斷道歉認錯、哭鬧糾纏：

「我知道我錯了，天下的男人都不是好東西，只有你對我最好、最認眞！也只有經驗過他的壞，我才知道你的好。更何況，我也只是和他出去吃飯、看電影而已，並沒有和他『怎樣』，眞的，原諒我……不要，不要離開我。」

這是她的哀兵之計。

每當他主動提出分手，她的說辭和邏輯都差不多。但是，隨著她的犯錯頻率增加，她苦苦哀求的語氣就會更加淒厲。

偏偏這招就是管用，讓盛怒的他沒輒！仔細分析，她講的都沒錯，而且都是他最最在意的。例如：

「天下的男人都不是好東西，只有你對我最好、最認眞！」

「只有經驗過他的壞，我才知道你的好。」

「只是和他出去吃飯、看電影而已，並沒有和他『怎樣』。」……

所以囉！冷戰幾天之後，他又跟她復合。

最近，他們又吵了。

她瞞著他，跟另一位新來的男同事去看電影。他覺得看電影沒什麼大不了，重點是不該瞞騙他。

於是，他又提出分手。

她又繼續哭鬧：「原諒我……不要，不要離開我。」

他痛苦地問我：「爲什麼我每次痛下決心，還是離不開她？」

分不了手的原因當然有很多：可能是他們之間還有餘情，他還是深愛著她；或是，他已經太習慣她，離不開她……

這些都是合理的推斷，不過在愛情裡，並不是樣樣事都可以那麼理性分析，離不開一個人、分不了手，很可能只是時候未到而已。

快刀斬亂麻，並非適用於每個人的處

世風格。有些愛情的品種，只適合漸漸凋零。

既然愛過，就不要在乎多花那一點時間——不是被動地等待對方回心轉意，而是主動的讓自己死心。

這個覺醒的過程，也許漫長，卻讓自己變得十分冷靜，不會再爲了一個不值得繼續愛下去的人痛苦傷心。

【給女人的叮嚀】
決定分手之前，
花點時間去認識
彼此不適合的本質，
可以減輕痛苦的蔓延。

【給男性的忠告】
愛情，
往往從不可控制的緣分開始。
但是，
你可以選擇適當的時機結束。

【給同志的祝福】
當愛情陷入苟延殘喘的階段，
請記得：
深呼吸！讓自己清醒。

但是，如今……

男人變心，通常是看到更好的對象；
女人變心，通常是因為嫌惡身邊的人不長進。
男人看到更好的對象，表示對未來還有企圖心；
女人嫌惡身邊的人不長進，反映出她對現實不安。

情變的時候，不願改變的一方難捨地說：「當初你口口聲聲說愛我；但是，如今……」主動揮手的人，無言地走了，過去讓它過去，往事不必再提。曾經山盟，有過海誓，怎奈濃情蜜意已成過眼雲煙時，只留下：「但是，如今……」

莫要只怪罪主動分手的人變心，教一個人改變愛情初衷的，總有其原因。千頭萬緒，說不分明，只能說時間不同了，想法不一樣了，兩人再難同行。

時間的背景不同，愛的面貌也不斷改變。與其害怕情人變心，不如加緊腳步跟上時代的節奏，而不是賴在原地，指責對方跑得太快。

男人功成名就，回頭不愛結髮妻，這樣的例子，自古有之。現代的影劇圈，多的是像古時候的陳世美負心案例。男子離鄉背井追求功名的過程，留在家中的女方毫不知情，以爲苦守寒窯就能換得丈夫對愛情的忠誠。沒想到，團聚時彼此眼界已不同，除了不堪回首的過去，再也沒有共同的話題了。這樣的愛情當然無以爲繼。

女性意識抬頭之後，在社會上表現傑出的女性，也會在回頭的剎那，碰到愛情的瓶頸。

一位女性友人，當初不顧家庭反對，愛上她的老師，爲了這段

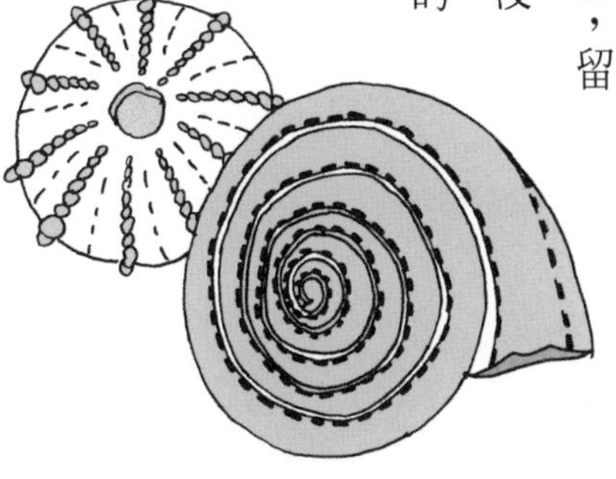

不被家人祝福的婚姻，還差點和父母反目。結婚數年，她取得碩士學位，當上外商公司的高級主管，發現枕邊的教授愈來愈像井底之蛙。她要求他提早退休，一起去國外走走，趁著還有體力的時候，闖出一番屬於自己的事業，將來養老也比較有個依靠。

他卻不解地問：「當初妳不是說喜歡教育工作，比較單純？如今……」

男人變心，通常是看到更好的對象；女人變心，通常是因爲嫌惡身邊的人不長進。男人看到更好的對象，表示對未來還有企圖心；女人嫌惡身邊的人不長進，反映出她對現實不安。

表面上看起來，男人和女人的思考彷彿有明顯的不同，若進一步觀照到他們的內心，則不難發現：無論是看到更好的對象、或嫌惡身邊的人不長進，都是基於對未來美好的追求，意圖積極地突破現在的瓶頸。

是什麼原因，讓主動揮手的一方，毫不留戀地向前走，恐怕是面對情變的傷心人，更應該花心力學習的功課。對逝去的戀情，有所體會，才能避免下一次再遭受同樣的傷害。

情人變心之後，把過去的誓言，拿來重複一遍又一遍，並不能挽回什麼，既無法破壞對方和新歡之間的感情，也難以令他對舊情增加留戀，只不過更加顯露自己的不甘心，在醜化曾經有過的美好戀情之餘，也讓外人看到雙方更多不堪的窘境。分手的戀情，只適合化作成長歲月中的一抹微笑，千萬不要輕易感嘆：「但是，如今……」

【給女人的叮嚀】
與其追究過去的承諾
沒有兌現，
不如看看未來
還有什麼可以追尋。

【給男性的忠告】
說過的話、逝去的時光，
都是一去不回的。
你只能用微笑面對今天。

【給同志的祝福】
當你懂得原諒時，
所有的昨天，
都會變成美麗的回憶。
連傷心都值得安慰！

倒三角關係

兩個男人和一個女人，原是三個好友，
後來發展成三角戀情。
想看好戲的人，等著瞧瞧這兩個男人怎麼過招？
介於「哥倆好」之間的一個女人，情何以堪！

三角戀情，愈來愈普遍。三角關係，愈來愈複雜。爲什麼呢？
根據我的觀察，現代社會中，人與人碰撞的機率比從前頻繁，對自己的愛情既挑剔又沒信心，如何守著一份「食之無味、棄之可惜」的戀情，就成爲一項很大的挑戰。能勇於面對，及早結束三角關係的人，並不多見。大多數人都要拖到三個人都已經受傷了，才被動地出面解決。以下這個精采的案例，足以爲鑑。

曾經有一位男性的電視節目名主持人，現身自剖與另一位女明星的感情關係已告一段落，並祝福她。據聞，她正與那位男性主持人的節目製作人展開新的戀情，三個人原都是熟識的朋友，怪不得他講到情深處，還煞有其事地哽咽，頗令人動容。記者會中，他多情的神態，與他過去發生的幾樁花心傳聞給人的印象，有如天壤之別。

消息傳出，各類喜好八卦新聞的媒體，爲了滿足觀眾知的權利，不得不繼續追蹤報導，使得不願出面的女方，好幾天不能公開出來工作，以避免接觸媒體，更加尷尬。

由於傳聞中她的新歡，正是他的節目製作人，也被告知要對媒體封口，不再公開談論此

事。演變到此，這樁已經成爲過去式的三角關係，只剩下落單的舊愛，一個人在對媒體發言。

雖然對這段戀情內容的眞假，無從印證，但三個人的知名度又往上竄升，倒是不可否認的事實。這個事件之所以引人注目，除了當事人本身長期以來就是媒體追逐的焦點，主要的原因是案例中的人物關係比較特殊。

過去的三角關係，男人多半比較強勢，受欺侮的大半是女人。而在這個案例中，拂袖而去的是女人，柔腸寸斷的卻是一個被公認很花心的男人，大大顛覆了男女兩性在三角關係上角色的強勢與弱勢。女主角當初離開的原因，是男主持人太花，這點沒什麼値得太吃驚。比較勁爆的是她的新歡，竟是影劇圈才華洋溢的節目製作人，而且和她的舊愛仍是「同事」關係。

這兩個男人之間的關係，就成了這段三角戀情最令人好奇、卻也最令人失望的地方。令人好奇的是：想看好戲的人，都翹首引領等著瞧瞧這兩個男人要怎麼過招？令人在好奇之後覺得失望的是：這兩個男人果然沒有正式過招，即使見了面也避而不談感情的事，實在太傳統了，平白辜負了如此勁爆的三角議題。

這也就罷了，更令人不免大嘆了無新意的是：男主持人竟然還擺出「英雄惜英雄」的姿態說：「我的節目還是必須由他製作，否則我不進棚。」

類似電影「相信愛情」中三角戀愛的完美結局，最後落單的男士，很有風度地祝福成雙的兩位好友，在生活中並不多見。唉！介於「哥倆好」之間的一個女人，眞是情何以堪啊！

【給女人的叮嚀】
夾在兩個男人之間的女人，
常平白犧牲在
男人愛面子的心態裡。

【給男性的忠告】
鴕鳥心態，
不但無法解決問題，
也會令人看扁你。

【給同志的祝福】
能主動從三角關係中
抽離自己，
並不是示弱的表現，
而是智慧的抉擇。

為前途拋棄最愛

「現在不願走；將來不能回！」

男人自以為是的遠見，聽在女人耳朵裡，卻是不折不扣的短視。新時代的女人，要的是恩斷義絕的痛快，而不是拖泥帶水、拼命為自己留後路。

男人，在緊要關頭時，總是會爲了前程而拋棄最愛。

就算有一天，他的最愛不是身邊的女人而是他的仕途時，他也會拋棄原先鍾愛的專長，追求更高的官祿。難怪，女人自古以來都不信任男人，沒有安全感。

有一次正逢大選選情告急的時刻，原本負責外交的首長受他的政黨徵召，必須放棄外交工作，加入競選團隊。

離開原單位時，他說：「外交是我的最愛。」

由於他是個很有女人緣的政府官員，所以女性同胞聽了，更加倍地心痛——除了同情他的處境之外，不免也從內心發出很大的疑問：爲什麼男人被現實所迫時，總是捨得拋棄最愛？

生性多疑的女人，會做以下的推論：今天他會爲了前途拋棄最愛的外交工作；明天他也會爲了追求「他的」功名而拋棄「我的」愛情。

英俊瀟灑的部長，爲了不讓大家太傷心，只好以他慣用的外交辭令，嘗試以不露痕跡的方式吐露他「人在江湖，身不由己」的心聲

說：「現在不願走；將來不能回！」內行人都聽得出他的口氣，十分無奈。

後來，他所屬的政黨在大選中落敗。無論他當初選擇走與不走，一樣都不能回頭。

「現在不願走；將來不能回！」男人自以爲是的遠見，聽在女人耳朵裡，卻是不折不扣的短視。女人想的是：「現在你離得開；將來未必回得來！」

聰明又負責的男人，在面對抉擇的時候，不論是工作或愛情，都會表現瞻前顧後的樣子，自以爲思慮周全。但世界上很難有「兩全其美」的決定可以同時發生，顧此失彼是常態，而偏偏女人常在男人的決定過程中，蒙受委屈。

新時代的女人，面對負心的男人時，要的是恩斷義絕的痛快，而不是拖泥帶水、拼命爲自己留後路。

男人，若有拋棄最愛的勇氣，最好別想要再回來。做得乾脆俐落一點，雖然讓女人痛恨，但至少值得懷念。既拋棄最愛、又想回來的男人，只能博取女人同情的眼淚，不能獲得永恆的眞愛。

女人說：「你若眞的愛我，就不該、也不會離開。」女人期待男人有寧死不屈的情操。

可惜，這個男人的最愛是外交工作，不是有血有肉的女人。寧死不屈的情操，暫時還派不上用場。外交工作，講究的是在爾虞我詐中妥協的藝術。有血有肉的女人，要的是愛恨清楚、恩怨分明。

【給女人的叮嚀】
兼顧事業與愛情，
不僅是女人對男人的要求，
也是女人對自己的期許。

【給男性的忠告】
愛情與事業，
並非在兩端拔河。
只要使對力氣，
兩者可以相輔相成。

【給同志的祝福】
真愛，
遠比工作難尋。
擁有真愛的同時，
會讓工作更順心！

此心長留？

真愛，要的是人在、心也在。
人走了，此心長留，結果很淒涼，
寧願對方一起把心帶走。
離別的時候，請不要說：「此心長留！」

爲了理想不得不放下愛情而遠走的人，回頭說：「此心長留。」一個人和他的一顆心，若不能同時留在愛情的身邊，必須切開來，人走了，把心留下來，這種愛實在愛得很無奈。

頂多只有自我宣示的作用，意思是：「我將回來！」或許，還有另一種安慰的功能，透露著：「我的人走了，我的心還在。」連現在的事都無法確定地給對方一個具體的承諾，遑論未來。

無論是宣示的作用、或是安慰的功能，畢竟都只是一時的，無法長久。眞愛，要的是人在、心也在。人走了，此心長留，結果很淒涼，寧願對方一起把心帶走。

在校園演講的時候，一位看起來非常純情的女學生問我：「當理想和愛情不能兩全的時候，該如何抉擇？」

「理想和眞愛，不會背道而馳。除非妳和他之間存在的不是眞愛，只是自私的佔有。再不然，就是疏於溝通。對方不知道妳的理想，究竟是什麼？他在眼前只看到失去妳的風險，看不到等妳完成理想後分享的喜悅。」我回答。

她似乎沒有聽懂。「可是……」她沉默一會兒，看起來的確困難。

「請妳舉個具體的例子。」我繼續和她交換意見。

「譬如說，我想出國留學，但我的男朋友希望我趕快跟他結婚。」

「出國，不是理想，只是實現理想的手段。也許，妳應該和妳男朋友好好溝通一下，說明妳的理想事實是什麼，討論看看出國和實現理想之間，有什麼關連，共同尋找彼此可以接受的解決方法。」我說。

這就是溝通。相愛的兩個人，若想解決問題，一定要溝通，不要一味地感情用事。完全以情緒處理事情，將失之客觀；完全依靠邏輯或制度，又難以兼顧情感，也是一種主觀。

感情遇到瓶頸，或不得不抉擇的時刻，不妨雙方坐下來，講清楚、說明白，不要只是黯然離開，留下「此心長留！」這種曖昧不明的話，費人疑猜。充其量，只不過是一張無法兌現的過期支票而已，毫無實質意義。

「此心長留！」不論是因為堅持制度之下，不得不出走的選擇；還是情緒化之後唯一的出路，都將徒留遺憾，無助於相愛。

甚至，有時候說：「此心長留！」令人聽了之後，會覺得你是惺惺作態，只不過想要美化分手的畫面，或掩飾背叛的醜陋。

決定出走的人，請把心帶走。決意挽留的人，請耐心等對方回來。

在離別的時候，不論是主動提出分手的人，或被動接受分手事實的人，都請不要說：「此心長留！」

【給女人的叮嚀】
單方面地
苦苦挽留一段感情，
頂多只能安慰自己，
不會成全幸福。

【給男性的忠告】
要不要分手？
是痛苦的決定；
但不做決定，
會讓痛苦更綿延。

【給同志的祝福】
願意等待，
是一種美德。
時間，
不一定會給出答案，
它要我們自己去覺悟。

gauche d'amour la rive gauche d'amour la rive gauche d'amour la rive gauche d'amour la rive gauche d'amour

la rive gauche d'amour

放心，
la rive gauche d'amour la rive gauche d'amour la rive gauche d'amour la rive gauche d'amour la rive gauche d

我會記得你的好！

揮手告別愛情的9種姿勢：

- 慢慢放下
- 好聚好散
- 成全對方
- 願意放手
- 顧全面子
- 不問理由
- 愛恨昇華
- 放下屠刀
- 淚中有望

試著了解；試著分手

最高層次的愛，是心靈相通；
品質不好的愛，才需要努力試著了解。
當熱戀從激情進入到溝通的階段，
觀念與價值的歧異，常一棒敲醒沉醉在浪漫裡的兩顆心。

應該還是熱戀的季節吧！他們的感情卻已經漸漸冷卻。

夜裡，他一如往常地打電話給她。這是他們相戀三年來的習慣，只不過愈來愈像例行公事，講電話的時間也一天比一天短。

他對她說：「今天在車上聽到萬芳的歌『試著了解』，感觸很多。」

她沉默了一下，沒有把話說出口。心中浮現經典情歌的旋律，吟唱著：

最近常無言相對，彼此安靜電話兩邊
思緒飛啊飛到從前，你我初識熱絡季節
常聊啊聊啊聊到深夜，怎麼說也不覺累
是不是每個愛情，都會走到很難交流的局面……

（註：「試著了解」；姚謙作詞、美木、Super作曲；摘自萬芳《貼心》專輯）

流下兩行眼淚的她，刻意隱瞞了力不從心的感覺。如果連聽這麼感性的歌，都要聽到各說各話的地步，平白糟蹋了情歌的浪漫，也輕侮了兩人之間的三年歲月。

最高層次的愛，是心靈相通；品質不好的愛，才需要努力試著了解。

認眞生活的她，喜歡和他分享世間最美好的經驗。

他卻經常潑冷水，說：「成功的人都是靠關係、走後門。」

她也曾拿出人生的願景一再溝通，希望和他共同編織未來的夢想。

他卻是個做事毫無章法，慵懶成性的人，連今天都顧不好，哪有餘力憧憬明天。

最後，她誠懇地提出限期改善計劃，希望他成長的步調能跟上來，他卻擺明地說：「妳不要管我這麼多！」

她提出分手，他卻不肯放手。

當熱戀從激情進入到溝通的階段，雙方人生觀念與價值的歧異，常一棒敲醒沉醉在虛無浪漫裡的兩顆心。

驚醒之後，願意試著了解對方的感受，是最基本的功課。但是，光是了解還不足夠，還必須有寬厚的胸襟去接受對方和自己不一樣的地方，才有可能繼續在愛的路上相互探索。

而長久幸福的經營，在體諒與包容之後，最需要的其實還是行動力。雙方願意配合對方的期望來調整自己，兩條平行線才有機會在人生的遠方漸漸靠近。

如果雙方差異實在太大，又一再各說各話，彼此都不願改變觀點及立場，試著了解之後，最圓滿的結局，其實是——

慢慢放下，平靜地分手。

【給女人的叮嚀】
無時不刻，
願意傾聽對方的心聲，
就是與幸福做最好的溝通。

【給男性的忠告】
試著表達自己的心意，
讓對方具體感受你的情緒。

【給同志的祝福】
別常常說：「我不懂你！」
有時候，
練習在不懂中儘量溝通，
久了就會懂。

風流與下流

關於「風流」與「下流」，
我很樂意提供一個絕對很簡單的定義：
好聚好散的是風流；
不乾不脆的是下流。

幾年前，一位媒體界的傑出女性，因碰到政治圈一位男性的薄倖寡情之後，感慨地表示，肯承認自己行爲的男人是風流；敢做不敢當的是下流。

隔了一陣子，堪稱當代武俠小說大師的文壇前輩針對某位影壇巨星的偷腥事件，又針對風流與下流發表高見說：「有情無性是風流；有性無情是下流。」如果，採用這項標準來評估，現代男士能被稱上風流而不下流的，恐怕少之又少。

他們兩位對「風流」與「下流」的定義，都很精采。基本上，我也都同意他們的說法。不過，男人，到底是風流、還是下流？區分的方法恐怕不只這兩種，還可以因當事人的狀況不同，衍生出無限多種。例如：

肯說清楚、講明白的是風流；講不清楚、說不明白的是下流。

愛情品質清高的是自命風流；浮誇性事、徒有感官刺激的是自甘下流。

和並無婚約的單身女性交往是風流；玩到有夫之婦的是下流。

被狗仔隊偷拍約會錄影帶的是風流；自導自演床戲用以自我宣傳的是下流……

這些衍生的定義和說

法，都滿有意思，不過，也稍嫌複雜。頭腦簡單，「四肢」發達的男人，情欲衝動的時候，絕對搞不清楚，什麼是「風流」、什麼是「下流」？

說實在話，關於「風流」與「下流」，不需要搞得那麼複雜，我很樂意提供一個絕對很簡單的定義：

好聚好散的是風流；不乾不脆的是下流。

在這個定義下，「風流」與「下流」，不光是由男人自身的行爲來決定，女人也該共同負責。畢竟，相愛和分手都是兩個人的事，「好聚好散」和「不乾不脆」，也該由兩人一起承擔，千萬別弄得雙方都很「不入流」啊！

而最不入流的行爲，莫過於分手之後還到處張揚對方的缺點，包括：小器、不衛生、房事有怪癖……等，更惡毒的是——向無關此事的第三者描述對方的性器官特徵。有些年輕人更狠，乾脆幫對方架設個「全見網站」，讓對方的裸體照片在網頁上公開亮相。

能讓一個人在「被分手」之後，失去理智到表現出這些不入流的言行，應該要歸咎於對方做得太過火、或傷人太深，才會對他恨之入骨，使用極端的報復手段。如果，對方沒有那麼可惡的話，那我們只能同情他，因為愛得太深，才會喪失自己的風格。

愛情結束，要求雙方態度優雅、互道祝福，似乎是苛求。所謂的「好聚好散」，在現代社會的環境下，彷彿只要不大打出手、惡言相向，就勉強能算得上是「好聚好散」了。

【給女人的叮嚀】
據說，馬路上開車
最快和最慢的，
都是女人。
情路上，小心駕駛，
別被愛恨沖昏頭。

【給男性的忠告】
脫褲子之前，
多用腦袋。
穿上褲子以後，
才保得住尊嚴。

【給同志的祝福】
分手以後，不是愛人，
可以做「情同家人」的朋友。
畢竟，We're family！

見不得愛人過得比較好

愛，不是犧牲。愛，也不是佔有。

愛，其實是成全。

擁有愛情的時候，要讓對方自由。

無法擁有的時候，雙方更要讓愛自由。

知名影星牽領警察，到已經分居的妻子住處，當場逮到她和另一名男子穿著睡衣同處一室。

一句：「Merry Christmas & Happy New Year!」成爲抓姦的名言。

他表示，要放過他太太，但是堅持控告男方。

這是一段家庭的悲劇，也是愛情的悲劇。看見一個中年男子，不顧自己是公眾人物的顏面，以這種嚴厲的方式，控訴愛情的不忠，令人不得不對凋零的愛情產生悲憫。

當他警告對方說：「玩人家的老婆是要付出代價的。」充分顯露他的心傷。他氣急敗壞地用「玩」這個字眼來守護自己最後的尊嚴，褻瀆偷情男女之間絕無任何眞愛的可能。

他看不起他們，同時也不容對方輕侮他「一代俠客」的盛名。

「玩人家的老婆是要付出代價的。」言下之意，很容易進一步聽出「也不看看她的丈夫是誰」的味道。

綠雲罩頂的男人，明明知道屬於他的愛情，已經很難力挽狂瀾了，還是要給對方致命的一擊。

「見不得別人好」只是一種單純的忌妒心。但若是「我得不到的，你也別想要！」，那可就是複雜的報復心了。玉石俱焚之後，誰能夠全身而退？

一時的洩憤，絕對不可能得到永恆的快樂。

小孩子下棋，輸的一方，憤恨難消，用手一撥，打落棋盤，所有棋子散落一地，他轉身便走人。原先下棋贏的那個人，反而要留下來收拾殘局。

情海打滾多年的成人，看起來應該是歷盡風霜、世故成熟了，但處理分手的態度，仍幼稚得和孩童一樣。也許，這也算得上是一種純眞，但卻是令人不敢領教的赤子之心啊！

要到什麼時候，遭受感情挫折的人，才會懂得——愛，不是犧牲。愛，也不是佔有。愛，其實是成全。

得不到的，何忍一定要毀了它？

擁有愛情的時候，要讓對方自由。無法擁有的時候，雙方更要讓愛自由。不愛了以後，祝福對方吧！

徹底放手，才能重獲自由。事過境遷，唱起流行歌曲：「只要你過得比我好！」還能多留幾分瀟灑呢！

【給女人的叮嚀】

成全，
是愛情褪去之後的
一種必要美德。
保全了雙方的
美好記憶與尊嚴。

【給男性的忠告】

自信，
有時候不是建立在
你擁有什麼，
而是在你失去什麼的時候，
還能微笑。

【給同志的祝福】

當對方的幸福已經
與你無關的時候，
你的祝福更能展現
你的風度。

栽培第三者

不肯放手的人，才是栽培第三者的幕後黑手。
舊愛的苦苦哀求，正好陪襯新歡的楚楚動人。
舊愛的呼天喊地，正好陪襯新歡的輕盈美麗。
的確，是舊愛的惹人討厭，讓新歡更顯現無窮魅力。

有些愛情裡的第三者，本來不會存在，而是被不肯放手的那一方努力栽培出來的。

他想要藉第三者的強勢，來突顯自己的弱勢，用這股牽制的力量，來毀滅已經不愛他的那個人。

曾經紅極一時的武俠影片巨星，不惜顏面，公開抓姦，上了法庭。他表示，可以原諒已經分居的妻子，但不能放過「玩別人老婆」的男子。從簡單的邏輯看來，他仍是愛妻子的，希望能等她回頭，和她重修舊好。但若深一層剖析，他還是比較愛自己。

他也許知道毀了那個男人，也等於是毀了她。但他顯然不知道，他愈是想毀了那個令他戴綠帽的男人，就會讓她更珍惜出軌的戀情。

很多瀕臨失去愛情危險邊緣的人，都跟他一樣，一手栽培第三者壯大，讓這段外遇的感情多了革命的堅強力量。

政壇名人黃義交前妻鄭春悅出書，對他多次的外遇事件指證歷歷。他的姊姊卻出面反擊，指出：他早就提出離婚，

是鄭女士遲遲不肯放手，才導致他頻頻出軌。

原來，不肯放手的人，才是栽培第三者的幕後黑手。

舊愛的悲情，正好陪襯出新歡的清純。

舊愛的苦苦哀求，正好陪襯新歡的楚楚動人。

舊愛的呼天喊地，正好陪襯新歡的輕盈美麗。

舊愛的伸張公理正義，正好陪襯新歡的不食人間煙火。

的確，是舊愛的惹人討厭，讓新歡更顯得魅力無窮。

當你發現在兩人世界的愛情中出現第三者的時候，只能有兩個選擇：讓自己變成他們的第三者，重新歸零，以全新的姿態擇期加入戰局；或者，乾脆直接退出，讓「第三者」的優勢自然消失。

前者，是十分積極的挑戰，將改寫愛情的歷史。後者，是非常簡單自在的生活方式。

君子有成人之美，毋須用自己有限的青春，去幫助第三者燃燒熱情。

當你發現：一段感情走到「食之無味、棄之可惜」的里程時，半路又出現了第三者，經過誠懇的溝通與努力之後，無法挽回，不如放手。

力挽狂瀾的決心與努力，並不適合發揮在這種場面上。因爲，對無法挽留的感情使出太多力氣，會形成另一股反作用力，不但加速摧毀即將破碎的情感，還會把你弄得面目猙獰，讓離開你的人，不僅毫不留念、還更加討厭！

【給女人的叮嚀】
當妳對感情的努力，
可能變成對「第三者」
的助力時，
請記得：省點力氣！

【給男性的忠告】
真正的感情，
不需要用到
「挽留」這兩個字。
當一份感情
需要「挽留」時，大勢已去。

【給同志的祝福】
與其「當局者迷」，
不如「旁觀者清」。
將未完的愛，留給記憶。

有尊嚴，才能甘心分手

他同意分手，因為這次是他主動提的——
他甩她，面子比較掛得住。
愛情來的時候，讓人願意不顧榮辱。
愛情走的時候，記得為對方留點面子。

交往三年之後，愛情已經到了「食之無味、棄之可惜」的地步，不願含混度日的她主動提議分手。

他不甘心分手，理由是「我不喜歡被甩的感覺！」

很多愛情走到無話可說的階段，是很難說斷就斷的。誰也沒做錯什麼，也就沒那麼十惡不赦。

於是，兩人又繼續糾纏了好久。每次吵架的時候，她都會很積極的協議分手，主動說：「我們眞的不合適，與其把雙方囚禁在品質不好的愛情裡，不如趁早分手，各自自由。」

隔天，他會道歉，並且要求她收回分手的提議。

「我不要妳每次一吵架就提分手！」他說。

一天夜裡，他們又因爲一件觀念不同的事，在電話兩端爭執了很久，彼此都不讓步，摔電話之際，他大罵：

「我們兩個人都很固執，乾脆眞的『切』掉算了！」

這是他們交往三年多以來，第一次由他口中說出分手。

隔天，她主動對他說：「每次都是我提出分手，昨天第一次聽你提分手，竟然

有心酸的感覺。」

啊！那畢竟是很複雜的心情啊！交雜著「被釋放後的自由」與「驟然心碎的感受」。

聽完她的告白，他堅持不肯分手的態度，居然在一夕之間有很大的改變，願意好好分手。他甘心分手的原因，只不過因爲這次是他主動提的——他甩她，面子比較掛得住。

如獲大赦的她，跑來問我：「吳大哥，這是怎麼一回事呢？我不是不甘心，也不是故做姿態，只是我眞的不懂。這幾個月來，我曾經提議分手，次數多到我都記不得了，他都不肯。爲什麼，爲什麼這次他主動提出，就立刻分掉了？」

「因爲，他是個愛面子的男人。分手時，請記得讓對方有尊嚴地說『再見！』」我無奈地說。

在此之前，我認識一對堪稱「金童玉女」的情侶，他們結婚後還過著

「王子公主」般的生活，看他們恩愛的樣子，實在無從察覺這段「只羨鴛鴦不羨仙」的愛情故事裡，藏著多少不爲人知的辛酸。

一直到共同生活幾年之後，女方主動要求離婚，心意已決。男方點頭同意的時候，只提出一個附帶條件：「離婚可以，但不可以讓我的同事和朋友知道。」

從這個實例當中，我自己也有所領悟——愛情來的時候，讓人願意不顧榮辱。愛情走的時候，記得爲對方留點面子。

【給女人的叮嚀】
提出分手時，
要看場合、也要看時機。
妳若傷及對方自尊，
也可能會傷及自己。

【給男性的忠告】
面子，
是男人的第二生命；
愛情，
是女人的第一生命。
別為了你的面子，
傷害愛情。

【給同志的祝福】
懂得愛你的人，
一定也必須是
懂得尊重你的人。

不肯放手，傷得更久

愛到盡頭，當對方提出分手，
就讓他走吧！
不肯放手，傷得更久，
對方不好過，自己又能得到什麼？

面對情變的時候，很多無辜的人只會忿恨地向對方抗議說：「我到底做錯了什麼？」

不愛的理由有很多，不一定是因爲你做錯了什麼。什麼也沒做、做得太多、以及什麼對的都沒做……還是有可能分手。不愛，有時候只是感覺變了，沒有理由，再多分析也無濟於事。

尤其，沒有經過歷練的戀情，既然開始的時候是架構在空泛的感覺上，結束時毀在抽象的感覺不對，又何足爲奇呢？偏偏愈是這樣無疾而終的分手，愈是不能教人甘心。

因爲不甘心，所以選擇苦苦糾纏、惡言相向、哭鬧恐嚇……等策略的，大有人在。有一位男性友人的經驗十分特殊，當他誠懇向女方告白說：「對妳已沒有感覺。」女方竟開口說：「要分手可以，先付三十萬給我！」其實，她並不想要貪圖他的錢，只是不甘心。

很多瀕臨破裂的感情，其實是靠單方面「你讓我很難過，我也不會讓你好過！」的關係在維繫。

問題是，這種勉強的愛情，貌合神離，又能撐多久？

愛情，是一支舞曲，一定要兩個人心甘情願，踩著相

同的步伐，依照相同的節奏，才能跳出曼妙的舞步。

當對方已經不想跳了，你硬要抓著他的手、拖著他的身體，荒腔走板地舞下去，這場舞跳得已經夠難看的了，難道非得跌個四腳朝天、弄到你死我活，才願意曲終人散？

愈是不甘心的人，愈不肯放手。從這裡可以看出他內心缺乏自省的能力，也全無自信，只是憑一股愚勇，毀了別人、也耽誤自己。

有位婦人寫信與我分享很寶貴的生命經驗。她的丈夫有外遇，背叛了他們的婚姻，但是，她絕對不肯跟他離婚，她要讓大家都很不好過。

由於，這情況已經僵持十年了，她漸漸沒有力氣和他鬥，但還是不甘心就此罷手。後來，她得了憂鬱症，過得很不快樂，連自己的親生小孩都不想接近她……

從她的實例，我更加堅信——愛到盡頭，當對方提出分手，就讓他走吧！不肯放手，傷得更久，對方不好過，自己又能得到什麼？

不要再苦苦逼迫對方留下來，也不必追問任何不愛的理由，當對方執意分手，就讓愛隨風而逝。他得到他想要的，你得到自由。也許他會後悔，但你不必對他的決定負責；而你，卻必須對自己的人生負責啊！

所有不幸福的人生，都是被自己耽誤的。

【給女人的叮嚀】

留不住對方的時候，
不必怨悔。
世間能永恆的，
唯有記憶。

【給男性的忠告】

只有透過自我的反省，
才能知道分手的
真正理由。

【給同志的祝福】

對於不能繼續相愛的
兩個人來說，
分手是值得慶幸的事。

由愛生恨，兩敗俱傷

細水長流的愛情，比較容易持久。

不愛之後，如果有恨，也可以「戲」水「常」流，經常用幽默的態度、愉快的心情，抒發自己心中挫折的壓力，而不是擠壓在心中變成一時的暴力，傷人害己。

我常聽女性朋友勉勵失戀的人說：「讓自己活得更好，就是報復對方最好的方式。」

如果，讓自己活得更好，眞的只是爲了報復的話，要付出很長的時間，和很大的耐力。

雖然報復的動機，並不值得鼓勵，但至少「活得更好」的結果，具有正面的力量。

相較之下，男人比較沒有耐性，當對方變心時，報復的手段比較殘暴、要求的效果也比較立即。

所以，報紙的社會版上，情殺、情傷的事件時有所聞。

被愛情辜負的男人，輕則摔壞對方的家具、心愛的物品，重則潑對方汽油、硫酸，取對方的性命。

事後，男人總會後悔地說：「我是由愛生恨！」

這種說法實在有點誤導視聽，好像「恨」是「愛」的反作用力，愛有多深，恨就該有多強烈。

其實，恨有多強烈，和愛有多深，並沒有直接的關連。

由愛生恨，完全視當事人自己的EQ而定。

「恨」，並不是直接從「愛」裡生出來的，而是面對失去愛情的事實以後，無法紓解挫折的情緒，而產生的負面壓力、以及具有傷害性的行爲。通常，「恨」會對分手的兩個人，造成難以彌補的傷害。

所以啊！愛過以後，千萬不要拿「愛」當作「恨」的擋箭牌，以爲所有的負面情緒發洩，都是情有可原。不得不分手，也不要用「愛」來美化自己不理智的行爲，試圖博取別人的同情。

由愛生恨，其實是愛情EQ很差的人，自圓其說的藉口。

眞正的愛，是生不出恨的。愛和恨，不是同一家人，不可以強迫它們一起認祖歸宗。

愛，可以細水長流。細水長流的愛情，也比較容易持久。

不愛之後，最好沒有恨，如果一定有

恨，也希望心中的「恨」，可以「戲」水「常」流——經常用幽默的態度、愉快的心情，抒發自己心中挫折的壓力，而不是擠壓在心中變成一時的暴力，傷人害己。

眞正深刻的愛情，愛與恨都可以昇華。

有道是：「君子有成人之美！」不論繼續擁有彼此或兩人終須一別，愛情都可以昇華到兩個人「各全其美」的境界，而不是淪落到你死我活、「兩敗俱傷」的層次。

【給女人的叮嚀】
報復，可能會成功；
但因為報復而得到的成功，
無法獲得真正的快樂。

【給男性的忠告】
分手時避免惡言相向，
才能在多年以後懷念。

【給同志的祝福】
懷抱著愛去生活，
天天都快樂。
埋藏著恨去度日，
時時都痛苦。

揮手時不要揮刀

在分手時揮刀，男人多半是因為自尊心受到打擊，
女人則是為了保全自己的身體。
決定分開的戀人啊！請記得——
愛過以後，我們都有權利擁有依然完整的自己。

愛情的路，走到最後，只有兩種結果：不是牽手；就是分手。

但從一般現實生活面來觀察，通常一個人會談幾次戀愛，但只會結婚一次，所以可以得到一個合理的推論：牽手的機率，遠比分手的機率低。換句話說：牽手，的確難能可貴，要好好珍惜；分手，也是愛情的常態，不值得

懷憂喪志。

能好聚好散，絕對是兩個人的福氣。好聚不能好散，留下閒言閒語，給別人去說是是非非，難免遺憾。而更可怕的是，分手的時候拳腳相向，甚至刀光血影，演變成兇殺事件。

情侶分手的暴力事件中，男方因情緒失控或蓄意而致女方於死地的比例非常高。

根據美國聯邦調查局的一項統計報告指出：一九九八年美國婦女遭到殺害的共有三千四百一十九人，而其中死於丈夫或男友手裡的佔了百分之三十二。比例之高，已經喚起犯罪心理學家的重視，他們要好好研究這群「相愛時是良人；分手時變狼人」的男性，眞正的犯罪動機，究竟是什麼？

男人値得研究，女人也不能被忽視。根據我的觀察：在分手時揮刀，男

人多半是因爲自尊心受到太大打擊，女人則是爲了保全自己的身體。

表面上，男人好像是愛她愛到不能沒有她，說什麼也不肯放過這個堅持要離開的女人，激憤之下竟揮刀殺死了她。

這種理由，大概只能留給他的律師將來上法庭幫他辯護時，作爲減輕刑責之用。眞正能讓男人衝動到非殺人不可的，通常不是爲了愛，而是爲了自己的尊嚴，「士可殺、不可辱」才是眞正的致命傷。

雖然，我曾在報上看過幾次女方在分手時殺死男方的社會事件，但情況不太一樣。

分手時，女人會把男人殺死，多半是因爲這個男人平日凌虐她、卻又不肯放過她，急欲追求自由的女人，求仁而不能得仁，只好把對方給殺了。不過，這類刑案所佔的比例畢竟非常小。一九九八年美國一萬多名被害的男性中，只有百分之四，是被他的親愛伴侶殺害。

在揮手時揮刀的動機，也許男女有別——男人因爲伴侶離開，而狠心下毒手；女人則因愛情不順而絕望地了斷自我，不砍對方卻殺死自己。不同的結果，都同樣地不幸。

決定分開的戀人啊！雖然好好揮手說珍重，比草草揮刀動殺機，需要更多勇氣，但絕對值得多加練習。

愛過以後，我們都有權利擁有依然完整的自己。

【給女人的叮嚀】
生平最大的理智，
必須在分手的那一刻，
發揮得淋漓盡致。

【給男性的忠告】
相愛時，是良人；
分手時，不要變成狼人。
隨時保持你的君子風度吧！

【給同志的祝福】
告別愛情時，
若不能在燭光花影中祝福，
至少不要在刀光劍影中揮手。

化悲憤為希望

人生有很多時候，
需要化悲憤為力量。
唯獨失去愛情的時候，
請化悲憤為希望。

感情的所有質變中，最令人害怕的一種是：「由愛生恨」。熱戀漸趨平淡，甚至兩人形同陌路，雖然十分遺憾，至少可以平和地各走各的路。但如果是由愛生恨，雙方的關係就危機四伏了。

美國《紐約時報》曾經在公元兩千年的情人節翌日，刊載一篇專文，提醒情侶們在分手的時候，要特別注意人身安全。

根據研究伴侶謀殺的專家指出：許多婦女在揚言要分手時，遭到她的男伴謀殺。而且，行兇者在犯案之後自殺的比例偏高。

爲什麼戀情冷卻之後，曾經相愛過的兩個人無法全身而退呢？尤其是男人，怎麼忍心對深愛過的人下毒手？

雖然，我們常聽說：「愛和恨，是相生相從。」愛得愈深，當失去愛的時候，恨就愈深。

我卻認爲類似的說法，曲解了愛的眞諦。

如果，失去愛情以後，要用「恨」的行動，來證明當初愛的程度，這種愛也未免愛得太膚淺。

會用恨來證明愛的人，多半不是眞正愛對方，而是比較愛自己。

當他擁有「被愛」的感覺時，就會有安全感。當他失去愛情的溫度時，就有一種被冷落的感覺。喪失安全感的同時，也威脅到他的自尊，隨後，就將這種痛苦付諸暴力的行動。

由愛生恨，甚至因此而殺死對方、或自殺，並不值得感動。他們所殉的並非愛情，而是自己脆弱不堪的尊嚴。

一位女性朋友失戀，痛苦已極，她向她最要好的朋友告解：「我恨不能立刻把他給殺了！」

她的好友冷冷地說：「他，不值得妳這樣做。」

「我想殺掉自己。」她又說。

「妳，更不值得這樣做。」她的好友舉出自己失去雙親時的痛苦爲例，「天下最大的悲傷並不是失去一個不愛妳的人。」

聽了這句話，她才漸漸將自己的情緒穩住，冷靜下來思考自己該怎麼走。

愛情走遠，若還持續發燒，結果不是把自己的頭殼給燒壞掉，就是殃及無辜。所以，當戀情由濃轉薄的時候，我倒寧願看到沸水在瞬間結成冰，至少雙方都可以在很低的溫度中，讓情緒冷靜下來，想想下一步該怎麼走。

人生有很多時候，需要化悲憤爲力量。唯獨失去愛情的時候，請化悲憤爲希望。也許，痛痛快快哭一場就好！愛情世界裡的明天，永遠值得盼望！

【給女人的叮嚀】
真愛，值得期待。
用心去盼望，
努力去實現，
就有美好的未來。

【給男性的忠告】
天涯何處無芳草？
跌倒了，
記得從原地站起來，
向前走。

【給同志的祝福】
每一場戀愛，都是
一次華麗的冒險、
一次寶貴的成長。

走進吳若權的創作特區
Eric and His Works

[愛情步道]

《抓住你要的幸福——給心多一點靈》、《愛戀e世紀，因為有你——患難建真情》、《選擇幸福，其實你可以》、《愛情左岸》(時報)、《哪個男人不偷心》、《多情男人愛流浪》、《愛要有點乖有點壞》(皇冠)、《愛在魚水交歡時》(希代)、《愛來愛去》、《誰能讓男人付出真心》(方智)、《愛情只是極短篇》(元尊)

[生活花園]

《活出生命能量——Q得不一樣》、《啓動心靈程式——讓自己更Powerful》(時報)、《過得好，因為我值得》(方智)、《打造自己的幸福.com——e世代生活的黃金定律》(時報)、《原我》(希代)、《上班何必受委屈》、《明天永遠值得盼望》(方智)

[小說咖啡座]

《下雨天裡的松風聲》(時報)、《愛一次也好》、《好想打開愛情箱子》(皇冠)、《愛短短的就好》、《愛過總比沒愛好》、《愛是一生的功課》(希代)、《超人氣戀愛講座——少年小說》(幼獅)

[企管廣場]

《你可以賣得更好》、《行銷的20種玩法》、《點行銷的燈》、《摘行銷的星》、《開行銷的窗》(哈佛企管)、《管理心主張》、《行銷金配方》(商周)、《讓你更有Mail力》(博碩)

[心情音樂台]

「冬季到台北來看雨」、「愛得越久越寂寞」、「久別重逢」、「我的心停不下來」、「雨過心晴」、「聽風的歌」等數十餘首歌詞寫作；以及「漂浮咖啡館」專輯

心靈網域‧幸福左岸

[吳 若 權 讀 友 俱 樂 部]

歡迎走進這悠適的空間，
與吳若權一起品味生命的香醇，分享幸福的滋味……

讀者留言板

■時間:2000/12/29　■姓名:David　■性別:男
■留言:
嗨!吳大哥:　最近看了你的《選擇幸福,其實你可以》這本書,我心裡的疑問終於解決了,也有了新的愛情觀念,不會再胡思亂想了,覺得自己成長許多.「愛情沒有是非題,只有選擇題.」現在只要聽到女友跟我提到某位男生對她很好,我都冷靜地聽她說完,並且告訴她「選擇幸福其實你可以」,然後腦海裡就會想到你說的一句話:「認識一個人,需要機緣.了解一個人,需要智慧.了解以後,能和他相處,則要靠包容.包容得愈多,彼此的世界愈寬闊.」心情會顯得豁然開朗,不再像以前那樣生悶氣.現在我已學會如何解決自己的問題了,愛要量力而為嘛~~謝謝你的書,期待你的新書.晚安!

■時間:2000/12/27　■姓名:Liufon　■性別:男
■留言:
吳大哥你好,這是第一次讀你的作品《選擇幸福,其實你可以》,真的寫的很不錯!!會讓人忍不住一讀再讀,讓人覺得你對愛情,兩性之間的見解相當透徹又貼切,對於現在正在戀愛中的我,有相當大的幫助...　書中「在愛情中不盲目,也不麻木的基本要件是--清楚自己在生命中的位置,知道自己要的是什麼,也知道自己能付出多少.」讓我感觸良多,雖知要如此,卻無法確實做到,可能自己真的不會經營好愛情吧!!　希望吳大哥能再繼續出版如此的好書,讓像我這樣在愛情中迷失的人找到通往幸福的道路......　~永遠支持你~

■時間:2000/12/24　■姓名:楊珮茹　■性別:女
■留言:
吳大哥:　看完您的新書「打造自己的幸福.com」後,我更加確定自己追求幸福的信心!無論是親情or愛情or友情,我不再以被動姿態等待!我會自己努力去追求、去創造我所渴望的一切!預祝我馬到成功吧!^^

（系統提供：方程式資訊）

http://www.123.com.tw/eric/

■時間:2000/12/26 ■姓名:Angil ■性別:女
■留言:
12/14（四）這天，學校舉行了世紀末名人演講，邀請了您來為我們演說，聽了您精闢且活潑的演說內容，使我覺受到您的魅力，且利用耶誕假期，閱讀了您的新作「打造自己的幸福.com」，從中得到了許多啓示。希望您能不斷地出書為我們指引未來的e世代。

■時間:2000/12/23 ■姓名:健明 ■性別:男
■留言:
吳大哥您好!!你的作品我大部份都有，從我看過『抓住你要的幸福』這本書之後，每當你有新的作品，我都會先買回家，然後慢慢的看。最近買了『打造自己的幸福.com』一書，看完之後對我有很大的幫助。我是一個不擅言詞的人，可是你的書總是一直地震撼著我，謝謝您讓我不管是心理上或是在做事上，都比以前的我，成熟很多，希望您繼續寫下去，只要有新書我都會去買的。

■時間:2000/12/18 ■姓名:PHILIPS ■性別:男
■留言:
吳大哥: 你好ㄚ,第一次看你的書讓我有一種幸福的感覺喔,看了你這一本{選擇幸福其實你可以},讓我知道幸福是自己去掌握的而不是被動的, 而你說每個人在愛情裡都有說不的權利,而我在追求幸福時,有時也被回敬了閉門羹,我常常很沮喪,以為自己配不上她,自從看了吳大哥的這本書以後,讓我看開很多,也讓我有更多的勇氣對愛情感到希望,謝謝你出版這一本好書給大家,祝吳大哥事事順利.身體健康,作品越賣越好.

■時間:2000/12/14 ■姓名:小靈 ■性別:女
■留言:
吳大哥:喜歡看你的書,也將此視為珍藏,在我婚變的那一段日子,陪我度過的就是你的書,從當中我體會到人生的無常,也學會如何讓自己快樂.你無法想像,一個人寂寞的悲哀,悲傷總是侵蝕我的心,我藉著你的書做自我療傷,期盼自己走出陰影,後來我發現,閱讀你的書成了我的依賴,非常感謝你陪我走過一段路,我會認真的活下去.

■時間:2000/12/12 ■姓名:Andy ■性別:男
■留言:
想與你說很喜歡你「打造自己的幸福.com」這篇文章.看過後令我感觸良多,生命真的是很奇妙,有苦有甜.我與母親相依為命,前幾年母親身體不好,不過我們過得更快樂,因為病痛把我們的生命聯繫得更緊密,我非常珍惜與母親相聚的每一刻,今年四月母親驟逝,内心的悲慟,無助與失落,真是無以言喻.在我人生的這30個年頭,她一直是我的生命支柱,我非常非常的愛她,故她的辭世真的令我悲慟逾恆,更令我感到生命的無常與人生的無奈.很想告訴大家,希望大家能夠珍惜與父母相聚的每一分鐘,珍惜當下的幸福........

■時間:2000/12/6　■姓名:Shupin　■性別:女
■留言:
若權哥: 你好!嗯~我是什麼時候開始喜歡看你的作品ㄋ?在校內舉辦書展，我就是被你的「選擇幸福，其實你可以」的封面吸引，拿起隨手翻，沒想到每一頁都充滿色彩和插圖，引發我想讀的念頭。後來我買了最新的「打造自己的幸福.com」，發現原來你一直用心去感受周邊的事物、思考人生觀，而且字裡行間充滿知性、理性、感性，讓我感觸良多（史提夫·貝瑞卡演奏的A star for everyone 非常好聽，連續都聽這首）。最近我買你以前的「活出生命能量」，還沒看完！不過，我想下次我會再上來留言。Happy everyday to you!

■時間:2000/12/12　■姓名:Jessica　■性別:女
■留言:
若權,你好　看了你的「打造自己的幸福.com」後,給了我許多感觸...　同是水瓶座,更能夠了解你文字上的想法 so...對你多一份疼惜之心 想幫你打氣加油...　覺得你粉孝順,這年頭這樣的人越來越少,也希望你能加把勁尋找自己的幸福,也希望我的春天快點來.加油囉～～ Jessica

■時間:2000/11/30　■姓名:多事之秋　■性別:男
■留言:
Eric..你好　好久沒來這裡留下足跡了　有時候覺得自己是一個粉麻煩的人　在處理自己感情的時候　甚至都是一副事不關己的樣子　所以談了不少分分合合的戀情　也沒一次真正想穩定下來的心情　都是被自己的矛盾心理給征服　有時候聽到一些blue的情歌都會暗自難過一陣子　或許是我內心對感情的期許漸漸地淡化了吧　每次拜讀您的「選擇幸福，其實你可以」　總會讓我有幾分提振士氣的效果耶!　我一定會按照自己所想要的 選擇我的幸福 Tks!

■時間:2000/11/23　■姓名:英子　■性別:女
■留言:
若權大哥你好：　看了你的新書"打造自己的幸福.com"，讓我明白自己應該要下決心去看待自己的一切了...　前些日子，我得知我Excel檢定沒有通過...我沮喪好久...可是我看到你說「接受自己的缺點，是培養自信的開始；接受自己的缺點，才有機會改進缺點。」「怕吃苦，就會吃

一輩子的苦；願吃苦，只會吃半輩子的苦。」所以我決定要再考一次...我相信我明白自己的缺點，在用對方法下...我一定會考過的...如果我有一本深受影響的書，那就是"打造自己的幸福.com"了... 若權大哥，祝福你~~~也希望你能多寫一些書來勉勵我們...謝謝!!@^_^@... 書迷英子上

■時間:2000/11/2 ■ 姓名:Fuill ■性別:男
■留言:
哈囉~若權大哥自你來台中技術學院演講過後，我就常常翻你的書，常覺得給了我相當多的啓發。今年我努力考上大學，卻也因此冷落女朋友分手了，有時都會覺得很難過，還好有若權大哥的書給了我很多不同的想法，才不致困在自己的象牙塔裡。這是我第一次上來留言，想謝謝若權大哥，也希望若權大哥能繼續寫好書幫助更多的人。

■時間:2000/11/20 ■姓名:聆聆 ■性別:女
■留言:
吳大哥您好： 您的作品陪伴著我已有四五年之久,您的精闢見解與細膩思維,一向讓我倍感佩服.這幾天剛看完您的《打造自己的幸福.com》,使我再度的發現,原來要去打造一個人的幸福， 學問與觸角都這麼多,真是令人感到奧妙,讓我察覺到這也是幫助自我成長的一門學科,謝謝您...祝您 新作大賣

■時間:2000/12/3 ■姓名:黃雅莉 ■性別:女
■留言:
若權大哥 第一次看你的書「選擇幸福 其實你可以」,讓我深深感動,也得到很多共鳴,我決定要開始看你的書,相信我會從你的書裡得到更多的智慧,我想我的人生會因為你的書而有了很大的轉變,謝謝你若權大哥 也祝福你！

■時間:2000/12/16 ■姓名:劉思怡 ■性別:女
■留言:
很欣賞你的書,是我心情不好時的最佳良藥,或許人事中本來就有許多未知數,但時時把握每一刻,我想任何事情都將甘之如飴.希望你能繼續為我們寫出更動人的文章,讓小小的心靈能更加寬容,也對事物的處理態度,更加多變.謝謝你充實我的知識.

[如果你無法上網]

■歡迎來信與吳若權分享生命的感動。來信請寄：台北郵政46-103號信箱〔郵遞區號104〕。由於讀友來函甚多，無法一一回覆，尚請見諒。
■如果想繼續收到吳若權的相關出版或活動消息，請附上回郵信封，並註明「索取出版消息」字樣。謝謝！

吳若權作品集 Book Collection of Eric

航向幸福左岸的7種方法……

「抓住你要的幸福」

定價／二二〇元

幸福是一顆夢想的種子，需要用生命的熱情去灌溉。幸福不是靠別人給的，而是要認眞抓住，用心選擇。看吳若權以成長角度剖析男人與女人、愛與性、婚姻與外遇、生活與事業，告訴你如何在「用心生活認眞愛」的主張下，創造自己的幸福。

「活出生命能量」

定價／二二〇元

每個人心裡都有一座巨大的發電廠，能持續放送熱誠，讓生命保持恆溫。與吳若權分享溫暖充實的生活感受與成長經驗，享受「自然、衛生、新鮮、成熟、有彈性」的新價値觀，你一定要——相信自己會更好，人生會更Cute！

「啓動心靈程式」

定價／二二〇元

愛，是最偉大的力量！愛，像電腦系統Windows上的游標箭頭，輕輕一按就能啓動心靈程式，打開希望之窗。讓吳若權以啓動生命原力的新世紀生活態度，帶你解開愛的密碼、創造心的奇蹟，爲自己寫下一紙永遠的幸福保證書！

【愛戀e世紀，因為有你】

定價／二二〇元

時間走了，把樹的年輪留給我們，當作智慧的祝福。只要有一顆眞心，我們每天都會成就相愛與幸福的可能。在吳若權的e世紀心宣言中迎接充滿希望的千禧年，我們將重新找回眞愛恆久不滅的價値，擁有精緻的愛情生活。

【下雨天裡的松風聲】

定價／二二〇元

■廖輝英、張曼娟、蔡詩萍、張怡筠、朱衣、彭蕙仙、心岱／珍愛推薦　■最動人的e世代愛情小說

在愛情的旅程中，我們會以優美的姿勢滑翔，通往幸福的方向。聽吳若權訴說十個都會男女的愛戀故事，品味記憶中最美好的重逢，詠嘆縈縈不忘的戀情。

【選擇幸福，其實你可以】

定價／二二〇元

幸福，是一種理性的選擇，而不全然是感性的追求。選擇幸福，需要溫柔的智慧，更需要積極的勇氣與行動力。走進吳若權爲你搭建的幸福轉運站，選擇實現幸福的出口，爲自己的愛情選擇題圈選出最美麗的答案。

【打造自己的幸福.com】

定價／二三〇元

生活在e世代，每個人都是經營自我生命的創業家；從認識自我開始，就開創了屬於自己的「幸福.com」。吳若權邀你重新學習成就自己的祕訣和別人相處的方法，透過電子時代的思考模式，擁有均衡的人際關係，與幸福的自己相遇。

吳若權作品集⑧

愛情左岸

作　者—吳若權
董事長—孫思照
發行人
總經理—莫昭平
總編輯—彭蕙仙
出版者—時報文化出版企業股份有限公司
108台北市和平西路三段二四〇號三樓
發行專線—（〇二）二三四四—五一九〇轉一一三～一一五
讀者服務專線—〇八〇—二三一—七〇五・（〇二）二三〇四—七一〇三
讀者服務傳眞—（〇二）二三〇四—六八五八
郵撥—〇一〇三八五四〇時報出版公司
信箱—台北郵政七九～九九信箱
時報悅讀網—http://www.readingtimes.com.tw
電子郵件信箱—ctliving@readingtimes.com.tw
主　編—心岱
編　輯—郭玢玢
美術設計—小雨
繪　圖—施凱文
執行企劃—王嘉琳
校　對—吳若權、郭玢玢
印　刷—嘉雨印刷有限公司
初版一刷—二〇〇一年二月一日
定　價—新台幣二二〇元
⊙行政院新聞局局版北市業字第八〇號

國家圖書館出版品預行編目資料

愛情左岸 / 吳若權著. — 初版. — 臺北市：
時報文化, 2001[民90]
面；　公分. — （吳若權作品集；8）

ISBN　957-13-3302-6（平裝）

855　　　　90000189

ISBN 957-13-3302-6
Printed in Taiwan

編號：CR 0008	書名：愛情左岸
姓名：	性別：＿＿＿＿ 1.男　2.女
出生日期：　年　月　日	連絡電話：
＿＿＿＿ 學歷：1.小學　2.國中　3.高中　4.大專　5.研究所（含以上）	
＿＿＿＿ 職業：1.學生　2.公務（含軍警）　3.家管　4.服務　5.金融　6.製造　7.資訊　8.大眾傳播　9.自由業　10.農漁牧　11.退休　12.其他	
通訊地址：□□□＿＿＿＿縣（市）＿＿＿＿鄉鎮區＿＿＿＿村＿＿＿＿里＿＿＿鄰＿＿＿＿路（街）＿＿段＿＿巷＿＿弄＿＿號＿＿樓 E-mail address：＿＿＿＿＿＿＿＿＿＿	

（下列資料請以數字填在每題前之空格處）

＿＿＿＿ **購書地點／**
1.書店　2.書展　3.書報攤　4.郵購　5.網路　6.直銷　7.贈閱　8.其他＿＿＿＿

＿＿＿＿ **您從哪裡得知本書／**
1.書店　2.報紙廣告　3.報紙專欄　4.雜誌廣告　5.網路資訊
6.親友介紹　7.DM廣告傳單　8.其他＿＿＿＿

＿＿＿＿ **您希望我們為您出版哪一類的作品／**
1.心理　2.勵志　3.成長　4.潛能　5.知識　7.其他＿＿＿＿

您對本書的意見／
＿＿＿＿ 內容／1.滿意　2.尚可　3.應改進
＿＿＿＿ 編輯／1.滿意　2.尚可　3.應改進
＿＿＿＿ 封面設計／1.滿意　2.尚可　3.應改進
＿＿＿＿ 校對／1.滿意　2.尚可　3.應改進
＿＿＿＿ 定價／1.偏低　2.適中　3.偏高

您的建議／

＿＿＿＿＿＿＿＿＿＿＿＿＿＿＿＿＿＿＿＿

＿＿＿＿＿＿＿＿＿＿＿＿＿＿＿＿＿＿＿＿

＿＿＿＿＿＿＿＿＿＿＿＿＿＿＿＿＿＿＿＿

＿＿＿＿＿＿＿＿＿＿＿＿＿＿＿＿＿＿＿＿

請沿虛線撕下後對折裝訂寄回，謝謝！

吳若權

作品集

讓吳若權的文字，
陪你走過幸福e世代。

寄 回 本 卡 ， 您 將 可 獲 得 吳 若 權 的 最 新 出 版 訊 息 。

請寄回這張服務卡（免貼郵票），您可以——

● 隨時收到最新消息。

● 參加專為您設計的各項回饋優惠活動。

地址：108台北市和平西路三段240號3樓
讀者服務專線：080-231-705・(02)2304-7103
讀者服務傳真：(02)2304-6858
郵撥：01038540 時報出版公司

時報出版
CHINA TIMES PUBLISHING COMPANY

廣告回郵
北區郵政管理局登記證北台字1500號
免貼郵票

請沿虛線摺下裝訂，謝謝！

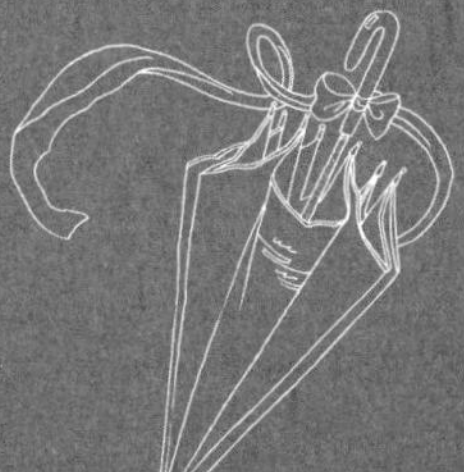

la rive gauche d'amour